Cézanne
et son temps

TIME-LIFE LE MONDE DES ARTS

Cézanne
et son temps
1839-1906

par Richard W. Murphy
et
les Rédacteurs des Éditions TIME-LIFE

TIME-LIFE International (Nederland B.V.)

L'auteur :

L'auteur Richard W. Murphy est né et a passé sa jeunesse à New York.
Diplômé de Yale, il a poursuivi des études de littérature anglaise à l'université
Columbia et à l'université de Londres. Rédacteur en chef de TIME pour les
questions musicales, il quitte le magazine en 1964 pour réaliser des projets
personnels. Pour écrire ce livre, M. Murphy a vécu à Paris et dans la Provence
de Cézanne où il s'est rendu sur presque tous les lieux que le héros de son
livre a peints.

Le conseiller de rédaction :

Professeur aux Beaux-Arts de l'université de New York, H. W. Janson reprit
en 1976 les conférences du prestigieux Mellon à la National Gallery of Art de
Washington, D.C. Parmi ses nombreuses publications, citons son *Histoire de
l'art* et *la Sculpture de Donatello*.

Couverture :

Cézanne a peint *Madame Cézanne dans la serre*. Ce portrait fut réalisé quatre
ans environ après que l'artiste eut épousé Hortense Fiquet, qui était sa
maîtresse et son modèle depuis dix-sept ans. (Voir la série des portraits
page 105.)

Pages de garde :

Deux natures mortes illustrent la touche fluide et le coup de brosse vibrant
caractéristiques des aquarelles peintes par le maître au cours de ses dernières
années. *Pages de tête* : Collection Norton Simon, Los Angeles. *Pages finales* :
Courtauld Institute Galleries, Londres.

Les conseillers pour cet ouvrage :

Jean Leymarie a exercé d'importantes fonctions au Louvre de 1945 à 1950;
il appartient toujours à la Direction des Musées nationaux français.
Universitaire et critique distingué, M. Leymarie est l'auteur d'ouvrages sur
Corot, le Fauvisme et la Peinture française du XIXᵉ siècle. Il a organisé de
nombreuses et importantes expositions, y compris l'historique *Hommage à
Picasso*, à Paris, en 1966-1967.
Theodore Reff est professeur d'Histoire de l'art à l'université Columbia. Il est
l'auteur d'une douzaine d'articles sur Cézanne et sur d'autres artistes européens
des XIXᵉ et XXᵉ siècles.

Traduit de l'anglais par Jean-Elie Leymarie.

Authorized French language edition © 1971 TIME-LIFE International (Nederland) B.V.
Original U.S. Edition © 1968 TIME-LIFE Books Inc.
All rights reserved. Fifth French printing, 1979.

Table des matières

I

Une nouvelle vision du monde

C'est dans le cimetière Saint-Pierre, près d'Aix-en-Provence, qu'est enterré Paul Cézanne. Au-delà de sa tombe, vers le nord, on aperçoit le profil ondulant des collines de l'Étoile et, plus loin encore, bleuissant dans l'air transparent de la Provence, la montagne que l'on appelle Sainte-Victoire.

Un voyageur parcourant ce pays sait aussitôt qu'il a été, en un sens, créé par Cézanne. Les amoncellements de rochers décolorés, les pentes couvertes de pins, le maquis odorant, le ciel limpide, le long vallonnement au lointain — tout ceci et bien plus encore, Cézanne l'a fixé sur la toile avec tant de force que lorsqu'on voit le paysage après avoir vu les tableaux, on le regarde avec les yeux de Cézanne, on le sent avec son tempérament de solitaire. C'est Cézanne qui en a discerné le génie propre, en a célébré les formes et les couleurs, en a révélé la profondeur que nul œil n'avait vue avant le sien.

Et, pourtant, l'on constate bien vite que ce que l'on a sous les yeux n'est pas, en fin de compte, ce que Cézanne a fixé sur ses toiles. La Provence de Cézanne est plus simple et plus structurée que les paysages qui lui ont donné naissance. Ce qui, dans les tableaux, devrait être loin paraît proche, et les formes situées au premier plan semblent avoir été repoussées dans le lointain. Les couleurs sont bien celles de la Provence mais, lorsque l'on se tient là où Cézanne plantait sans doute son chevalet et que l'on contemple le paysage, on ne découvre pas les couleurs que Cézanne a peintes dans l'ordre où il les a peintes. L'éclairage est plus fort et plus concentré.

Cézanne avait le don de rendre l'âme d'un paysage en éliminant la plupart de ses détails; voilà qui nous en dit long sur l'homme et sur son œuvre. Le plus simple et le plus vrai que l'on puisse dire de lui est qu'il a enseigné au monde une nouvelle vision des choses.

Il ne cherchait pas, comme le faisaient beaucoup de peintres académiques de son temps, à reproduire le monde visible avec l'exactitude d'une photographie. Il ne cherchait pas non plus, comme le faisaient les Impressionnistes, ses contemporains, à enregistrer l'aspect passager des choses. Cézanne croyait qu'il existe des formes et des couleurs permanentes dans le monde de la nature, et qu'il s'établit entre elles des rapports également permanents.

Cet instantané, l'une des 23 photographies en pied de Cézanne, montre l'artiste lorsqu'il avait une trentaine d'années. Des rouleaux de toile, une boîte de peinture et ses pinceaux sur le dos, Cézanne part pour une promenade dans la campagne, à la recherche d'un paysage, comme il le fit presque tous les jours de sa carrière.

7

Les formes, les couleurs et les rapports constituaient, pour Cézanne, le moyen d'exprimer l'émotion que la nature faisait naître en lui. Là se situait, selon lui, tout l'intérêt de la peinture. Un tableau n'était ni une impression, ni un témoignage sur la société, ni l'illustration d'une histoire, ni un élément décoratif. C'était le moyen d'exprimer l'émotion éveillée chez l'artiste par les formes et les couleurs permanentes de la nature.

Cette conception de la peinture mit Cézanne en opposition avec la plupart de ses contemporains. Les sentiments personnels de l'artiste s'étaient bien entendu introduits dans les œuvres de nombreux peintres du milieu du XIXe siècle, mais ce n'était qu'incidemment, l'objectif principal du tableau restant autre — moral, politique, social, etc. Cézanne déplaça le centre d'intérêt de la peinture, le faisant passer des choses observées à la conscience de l'observateur. Ainsi ouvrit-il une voie qui devait conduire, au XXe siècle, jusqu'à l'art dit « abstrait » qui repose entièrement sur les sentiments des hommes qui l'ont créé.

Dans ses portaits et dans ses natures mortes, comme dans ses paysages, Cézanne a réalisé des œuvres qui se situent entre la simple représentation et l'abstraction pure. On a parfois dit de lui qu'il était « géométrique » et, certes, lorsqu'il donnait à un jeune peintre le conseil désormais fameux de « voir dans la nature le cylindre, la sphère, le cône », il suggérait que les formes géométriques offrent le moyen d'imposer un ordre à la confusion qui prévaut dans la nature. Mais son art est beaucoup plus complexe que ne l'implique le mot « géométrique. » Sa façon peu conventionnelle de traiter l'espace et de manier la couleur en font un art très intellectualisé. Pour un public élevé dans l'idée que l'imitation exacte était le but de l'art, les libertés que Cézanne prenait avec l'expérience visuelle ordinaire étaient surprenantes et souvent choquantes. Peu des grands peintres du XIXe siècle ont été aussi violemment attaqués — « fou » et « anarchiste » figurent parmi les épithètes qu'on lui attribuait le plus souvent — ou si complètement incompris.

Certains allaient même jusqu'à le traiter de fraudeur; d'autres, tout en admettant son intégrité, étaient d'accord avec ce critique belge pour lequel l'œuvre de Cézanne n'était guère plus qu'un « barbouillage sincère. » Il est tout à fait évident, écrivait un critique en 1877, que, « lorsque des enfants jouent avec des couleurs et des papiers, ils arrivent à un meilleur résultat. » La même opinion avait encore cours en 1910, quatre ans après la mort du peintre, lorsque fut organisée la première exposition de ses œuvres en Angleterre, par l'historien d'art britannique Roger Fry; celui-ci trouvait tous les jours dans son courrier des gribouillis enfantins qu'envoyaient des parents persuadés que ces chiffons valaient de très loin les œuvres de Cézanne.

Il est facile de condamner pareils jugements, mais il est facile de les comprendre. La peinture de Cézanne est de celle que l'amateur doit apprendre à regarder. Pour le public du XIXe siècle, c'était une idée de fou. Il considérait Cézanne comme un révolutionnaire furieux, s'acharnant à détruire les valeurs de l'art officiel, alors que celui-ci jugeait essentiel de rattacher le sien au passé. « On ne se substitue pas au passé, écrivait-il un jour, on ne fait qu'y ajouter un nouveau maillon. » Si Cézanne a ébranlé jusque dans ses fondements l'art de son temps, ce fut pour mettre en cause les façons de voir stéréotypées de ses contemporains et restaurer certaines conceptions, antérieures à la Renaissance, auxquelles il attribuait une grande valeur.

En tête, figurait la conception classique de l'espace — c'est-à-dire le souci de représenter le monde tridimensionnel sans refuser les deux dimensions de la surface peinte. Venait ensuite celle de la peinture, structure autonome, harmonieuse et logique dans ses éléments. Comme Giotto, Uccello, Piero della Francesca et Poussin, Cézanne fut l'un des grands édificateurs de la peinture. Il le fut comme un restaurateur plutôt que comme un révolutionnaire. Le peintre Paul Sérusier écrivait un an avant la mort de Cézanne : « Il a débarrassé l'art de toute la poussière que le temps avait déposée; il a remis en honneur tout ce qui est raisonnable, pur et classique. »

Le génie de Cézanne — et son importance historique — réside dans son aptitude à fondre le « raisonnable, le pur et le classique » avec les éléments de la tradition romantique. Il a réconcilié les deux grands styles apparemment incompatibles qui avaient divisé la peinture française depuis le XVIIe siècle.

Le Classicisme impliquait un art qui célébrât l'intellect, tandis que l'art romantique exaltait les sentiments. Le Classicisme insistait sur la structure, le Romantisme sur la couleur. Cézanne obéissait aux deux tendances : il ne fut pas seulement un grand constructeur, il fut aussi un grand coloriste du calibre de Titien, Rubens et Delacroix. Parvenu à la maturité, son art combinait l'intensité émotionnelle du Romantisme à la clarté et à la rigueur du Classicisme. En fondant les deux traditions, l'œuvre de Cézanne les résume et, en ce sens, met un point final à une époque. Mais elle en ouvre aussi une autre : après que Cézanne eut produit les chefs-d'œuvre de son âge mûr, la vision des hommes qui allaient donner forme à la peinture moderne ne fut plus jamais la même.

Les générations suivantes n'ont pas cessé de reconnaître en Cézanne le « père » de l'art moderne. Encore faut-il se rappeler que son influence sur d'innombrables artistes et sur des mouvements tels que le Symbolisme, le Fauvisme, le Cubisme et l'Expressionnisme ne découle pas nécessairement d'une intention délibérée. Et son importance n'est pas due à son influence. Il a transcendé son époque et celles qui suivirent; seul, dans sa plénitude, il est l'un des géants de la peinture européenne.

Si Cézanne a été la plus forte personnalité artistique de son temps, il fut aussi le plus instable des hommes. L'apparente distorsion entre l'artiste et l'homme a égaré ceux qui l'ont connu et intrigué ceux qui ont, depuis, étudié sa vie et ses œuvres.

Selon une anecdote portant sur sa première enfance, on lui confia sa jeune sœur Marie lorsqu'ils commencèrent à aller tous les deux à l'école. Mais c'est Marie qui prit bientôt le pas sur lui. Et, ensuite, l'attitude du frère à l'égard de la sœur passait brutalement d'une totale dépendance dans presque tous les domaines à des rages folles lorsqu'il avait l'impression qu'elle se mêlait de ses affaires. « Si je te touchais », la menaça-t-il un jour, « je pourrais te faire mal. »

Dans cette dépendance et cette rage apparaît une bonne part de la nature de Cézanne adulte. Il a passé toute sa vie à courir après les gens et à les rejeter ensuite. Il ne voulait pas que quelqu'un puisse, disait-il, « mettre le grappin sur moi ». Et il le pensait, à la lettre, si bien qu'il finit, vraiment, par entretenir une peur morbide d'être

Cet autoportrait, le premier d'une douzaine réalisés par Cézanne, a été peint d'après une photographie *(page 22)*. Cézanne était encore un homme jeune à l'époque, et ses yeux révèlent une expression intense et quelque peu hostile. Probablement, s'agit-il d'un reflet de cette incapacité à s'adapter à la vie sociale qui l'a tourmenté toute sa vie, l'a rendu soupçonneux de ses relations et l'a poussé, un jour, à confesser « moi, je dois rester seul, la friponnerie des gens est telle que je ne peux pas m'y faire... »

touché. Un jour que le peintre Émile Bernard lui posait innocemment une main sur le bras, il explosa de rage. Et, sans transition, il lui présenta ses excuses : « N'y faites pas attention », dit-il l'air malheureux, « tout ceci arrive malgré moi. Je ne peux pas supporter que l'on me touche. Cela remonte à très loin. »

Que s'était-il passé dans ce « très loin », nous ne le saurons jamais. Il est évident, pourtant, que les relations de Cézanne avec sa famille ont joué un grand rôle dans l'anxiété qui a marqué sa vie. Dès sa tendre enfance, il eut peur de son père et dépendit excessivement de sa mère. C'est celle-ci, et plus tard sa sœur Marie, qui le soutinrent contre son père dans sa lutte pour devenir peintre. Apparemment, Louis-Auguste Cézanne tenait son fils pour incompétent, et il le traita toute sa vie comme un enfant — ainsi, lorsque Cézanne eut atteint un âge mûr, son père continua-t-il à s'octroyer le droit d'ouvrir le courrier de son fils.

Les lettres de Cézanne et le témoignage de ses amis montrent qu'il souffrait profondément de sa dépendance financière à l'égard de son père, mais aussi de sa dépendance émotionnelle vis-à-vis de sa mère et de sa sœur. Il se plaignait qu'en famille, il « n'était plus libre », et qualifiait les siens de « plus sales êtres du monde ». Pourtant, toute sa vie, il y revint et pour de longues périodes. Pour Cézanne adulte, sa famille demeura toujours source de souffrance et nécessité.

La crainte d'un père dominateur et la dépendance à l'égard d'une mère exclusive sont les éléments familiers d'une personnalité névrosée. Dans le cas de Cézanne, le sentiment d'insécurité qu'il acquit au milieu des siens le rendit de plus en plus antisociable et misanthrope avec les années. Pour lui, l'amitié était difficile — c'était une litote; les relations avec les femmes impossibles ou presque. Il avait passé trente ans avant d'avoir eu aucun rapport avec l'une d'elles, hors sa famille. Parvenu à l'âge mûr, il n'en prenait plus pour modèle, la nudité féminine le gênant.

« La vie est terrible! » répétait-il sans cesse. Il était hanté par la pensée d'une mort précoce et, à 43 ans seulement, il passa beaucoup de temps à rédiger son testament. La peur le conduisit aussi à se muer en catholique pratiquant dès son âge mûr; il le resta toute sa vie, bien qu'il parlât de sa messe dominicale en disant qu'il allait prendre « sa tranche de Moyen âge. »

Dès l'enfance, il se convainquit que les affaires du monde dépassaient sa compétence — que l'« isolement » était, comme il disait, « tout ce à quoi je suis bon. » Ses lettres ne laissent pas apparaître le moindre intérêt pour les grands problèmes de son époque. Il n'avait rien à dire sur la politique, le théâtre, la musique (bien qu'il eût une passion de jeunesse pour Wagner), l'état social, le gouvernement de la France, la morale ou les merveilles scientifiques de son temps. Si la guerre franco-prussienne de 1870 lui causa quelque souci, c'est seulement parce qu'il craignit que sa liberté de peindre en fût affectée.

Inquiet, maladivement timide, il cachait son intelligence remarquable, sa considérable culture classique et sa sensibilité derrière une apparence de rusticité provinciale. Il pouvait être extrêmement vulgaire parfois, mais le désir de rejet implicite dans cette vulgarité était compensé par un désir presque égal d'être accepté par les gens mêmes — académiciens, bourgeois d'Aix — qu'il méprisait. Avec le rebelle, cohabitait en Cézanne, comme Roger Fry l'a remarqué si

Louis-Auguste Cézanne, père de Paul, passa une enfance maladive et pauvre dans un petit bourg de province. Mais, lorsqu'il eut une quinzaine d'années, Louis-Auguste était devenu un jeune homme solide et ambitieux, sachant qu'il ne pourrait pas réaliser ses aspirations dans ce village natal. Pour se mettre à son compte, il alla s'installer, tout près, à Aix-en-Provence, où il entreprit une ascension qui devait le conduire au succès financier.

justement, « un gentilhomme campagnard timide, d'une respectabilité sans tache, souscrivant de plein cœur à toute opinion réactionnaire pourvu qu'elle pût passer pour « raisonnable. »

Tour à tour arrogant et servile, Cézanne pouvait dire, « il y a en France un milieu de politiciens dans chaque administration, mais on ne trouve qu'un seul Cézanne en deux siècles », et se prosterner en même temps devant le sculpteur Auguste Rodin, membre de la Légion d'honneur, pour le remercier de lui avoir serré la main. Le fait significatif est que Cézanne rendait hommage non à l'art de Rodin (il n'en faisait pas grand cas) mais au fait, confiait-il à des amis, que Rodin était « un homme que l'on avait décoré. »

Il chercha son salut dans la peinture. Son œuvre, soulignait-il sans cesse dans ses lettres, était la seule chose qui pût lui donner une « satisfaction mentale » durable. Elle calmait aussi ses angoisses. A une époque où sa peinture faisait l'objet d'attaques violentes, il écrivit à sa mère : « Je commence à me sentir supérieur à tous ceux qui m'entourent », et tout permet de croire qu'il était vraiment convaincu de l'excellence de sa vision artistique. Et, justement, les œuvres qu'il produisit pendant sa maturité ne reflètent pas l'angoisse de celui qui les a créées : si le monde trahissait Cézanne, la peinture le soutenait.

Pourtant, son art ne laissait pas d'être pour lui source d'anxiété. Si convaincu qu'il fût de son génie, il était cependant assailli par la crainte de ne pas trouver le moyen de l'exprimer. Il parlait toujours de son incapacité à « réaliser » ses visions, et chaque tableau nouveau était à la fois défi et crise : « C'est si bon et si terrible d'attaquer une toile vierge », dit-il un jour. Lorsqu'il pensait l'avoir mal attaquée, ce qui lui arriva de nombreuses fois, sa réaction était souvent extrême. Déçu et furieux, il déchirait et piétinait ses toiles, déclarant que « ça ne voulait pas sortir. » Mais il lui arrivait de dire aussi : « On ne se tue pas pour une toile gâchée; on recommence ».

Cézanne était persévérant dans son travail parce qu'il croyait que l'art était un « sacerdoce ». A la vérité, il lui a consacré sa vie et ses pensées dans toute leur plénitude. Son œuvre et son existence ont ému les peintres qui vinrent après lui. Il devait apparaître au XXe siècle comme le grand ermite de l'art luttant courageusement, seul. « Ce qui importe n'est pas ce que fait l'artiste mais ce qu'il est », disait Picasso de Cézanne en 1935. « Ce qui nous intéresse, c'est la lutte inquiète et permanente de Cézanne — voilà ce qu'il nous enseigne. »

Cézanne est né à Aix-en-Provence, le 19 janvier 1839. On croit que ses ancêtres émigrèrent vers le Midi de la France, au XVIIe siècle, venant d'une petite ville des Alpes italiennes du nom de Cesana Torinese. Pendant les deux cents ans qui suivirent, ils n'eurent guère de succès. Colporteurs, perruquiers, tailleurs, pour ce que l'on en sait, aucun ne s'éleva au-dessus de ses humbles origines.

Mais le père de l'artiste, Louis-Auguste Cézanne, était d'une autre envergure. Ambitieux et volontaire, il se rendit à Paris pour apprendre le métier de chapelier. Plusieurs manufactures d'Aix avaient entrepris de transformer le poil de lapin en feutre pour chapeaux; Louis-Auguste, avec une perspicacité dont son fils allait ostensiblement manquer, comprit que l'on pouvait gagner beaucoup d'argent à ce jeu et, rentré à Aix après quelques années d'apprentissage, il investit ses économies dans un commerce de chapellerie de gros et de détail, prospéra et se

Rose, sœur de Cézanne (ci-dessus), avait quinze ans de moins que son frère et ne joua qu'un rôle effacé dans sa vie. Elle épousa un homme riche et vécut tranquille, près d'Aix. Marie (ci-dessous), au contraire, fut un élément dominant de la famille. Ses parents l'ayant forcée à repousser la demande en mariage d'un officier de marine, elle demeura célibataire, aida son père à faire marcher la maison, prit en charge les affaires de la famille après la mort des parents et, en fin de compte, vendit le domaine. Elle géra les finances de Cézanne, surveilla sa conduite, mais admit n'avoir jamais rien compris à sa peinture.

mit à prêter de l'argent aux éleveurs qui fournissaient les peaux aux fabricants de feutre. Très vite, cet homme « dur et rapace », comme le décrivait un ami d'enfance de Cézanne, devint le prêteur le plus entreprenant de la ville.

A 40 ans, Louis-Auguste prit pour maîtresse l'une des employées de sa boutique, Anne-Élisabeth-Honorine Aubert. Il l'épousa en 1844, lorsque Paul avait déjà 5 ans et l'aînée de ses deux filles 3 ans. En quelques années, Louis-Auguste était devenu un prêteur assez riche pour fonder sa propre banque, entreprise facilitée par la fermeture de la seule autre banque d'Aix. La fortune venant, il loua puis acheta en dehors de la ville un domaine de quinze hectares avec un manoir du XVIIIᵉ siècle qui avait servi de résidence campagnarde à l'illustre famille de Villars. La propriété, appelée Jas de Bouffan (l'expression provençale pour la « demeure des vents »), devait avoir une grande importance dans la vie du fils de Louis-Auguste. Il y revint périodiquement, presque jusqu'à la fin de sa vie, y passa plus de temps à peindre que nulle part ailleurs et y trouva une ample moisson de sujets : la grande maison au hautes fenêtres, l'allée de châtaigniers, la pièce d'eau ornée de dauphins et de lions de pierre, la grappe de bâtiments fermiers masquée par la haie de mûriers à côté de la maison, les murs bas clôturant la propriété.

Bourgeois gravissant les degrés de l'échelle sociale, Louis-Auguste était en butte à l'hostilité et au mépris de ses concitoyens d'Aix. Par bien des façons, il était le prototype de cet « homme nouveau » français, fer de lance du bouleversement social né de la Révolution française et de la révolution industrielle. La Révolution française n'aurait pas été possible sans le soutien du petit peuple, mais ce fut la classe moyenne qui, dans son ascension, en tira le plus d'avantages immédiats. La bourgeoisie avait atteint sa majorité politique au moment de la prise de la Bastille, en 1789; elle commençait à conquérir sa place dans l'économie avec l'essor industriel au milieu du XIXᵉ siècle. Tandis que Louis-Auguste touchait au but à Aix, l'empereur Napoléon III régnait sur la France du Second empire. Sous des dehors faussement tranquilles, des hommes de la classe laborieuse saisissaient les possibilités offertes par l'économie et devenaient des facteurs puissants de la vie française. Les classes dirigeantes traditionnelles ne les aimaient pas et le prolétariat dont ils étaient issus les enviaient.

Dans le cas de Louis-Auguste, l'hostilité et l'envie étaient avivés par le fait qu'il avait épousé une ouvrière et qu'il s'était rendu acquéreur d'un domaine resté longtemps entre les mains d'aristocrates locaux. L'ostracisme dont la famille souffrit est peut-être en partie responsable du sentiment d'insécurité dont souffrit Cézanne dans sa vie sociale. Il peut aussi expliquer l'obstination avec laquelle la ville rejeta plus tard le plus célèbre de ses citoyens.

Au milieu du XIXᵉ siècle, Aix était le type de la petite ville provinciale restée en dehors du courant qui entraînait la France. On y trouvait une petite université; on y fabriquait des chapeaux et des confiseries aux amandes; on y tenait marchés pour les produits de la campagne environnante. C'était une ville où l'on trouvait beaucoup de rues aux pavés inégaux, d'arbres bien taillés, d'églises, de fontaines baroques et de vieilles maisons aux toits de tuiles et aux murs faits des pierres ocres extraites de la carrière voisine de Bibémus au temps de la conquête romaine. Il n'arrivait pas grand-chose à Aix. « Un calme habituel et constant enveloppe notre morne ville », écrivit un jour Cézanne à un ami.

Il est peu vraisemblable que Cézanne ait vu beaucoup de tableaux de maître pendant son adolescence. Les églises d'Aix possédaient quelques œuvres intéressantes dont deux retables connus, celui de l'Annonciation et celui du Buisson ardent. Quelques anciennes demeures privées s'ornaient de belles peintures murales, mais sans doute Cézanne ne fut-il jamais admis à les contempler. Il y avait aussi le récent musée Granet, installé dans le prieuré des Hospitaliers de Saint-Jean-de-Jérusalem. En remerciement du legs de ses collections, ce musée avait reçu le nom du peintre François Granet qui, Prix de Rome, était le seul citoyen d'Aix ayant accédé à la nototiété artistique. Granet mourut lorsque Cézanne était âgé de 10 ans, et ses œuvres bien réalisées mais assez classiques s'alignaient sur les murs du musée à côté de douzaines de tableaux contemporains sans importance, tels que le *Prisonnier de Chillon* d'Édouard-Louis Dubufe, et le *Baiser de la muse* de Félix-Nicolas Frillié; Cézanne copia l'un et l'autre. Le reste de la collection consistait essentiellement en œuvres religieuses et de style d'artistes français et italiens du XVIIe siècle. On y trouvait des *Joueurs de cartes* dont on a dit parfois — sans pouvoir vraiment le prouver — qu'ils étaient à l'origine de la fameuse série des *Joueurs de cartes* de Cézanne.

Si Cézanne n'eut guère l'occasion de voir de la bonne peinture, son éducation fut, par contre, excellente dans tous les autres domaines. Après l'école primaire, il fréquenta l'école Saint-Joseph, puis, de 13 à 19 ans, le Collège Bourbon. Il y reçut un enseignement essentiellement fondé sur les humanités et l'instruction religieuse. Sans être brillant, il fut bon élève et reçut de nombreux prix en mathématiques, latin et grec. Toute sa vie, il demeura un fidèle lecteur des classiques et écrivit des vers en latin et en français. Jusqu'à sa mort, il fut capable de réciter de mémoire des pages entières d'Apulée, de Virgile et de Lucrèce.

Tôt, il s'enthousiasma pour l'art mais, apparemment, sans don particulier. Il prit des leçons de dessin à l'école Saint-Joseph et au Collège Bourbon et commença à fréquenter l'académie de dessin de la ville lorsqu'il eut 15 ans. Mais il n'eut jamais de prix de dessin au Collège Bourbon; en 1857, ce prix fut attribué à son meilleur ami, Émile Zola.

D'un an plus jeune que Cézanne, Zola était né à Paris d'une mère française et d'un père d'origine gréco-italienne. Le père d'Émile Zola, qui avait servi dans la Légion étrangère, était un ingénieur de talent et avait reçu du gouvernement la mission de construire un réseau d'adduction d'eau pour Aix qui souffrait de sécheresse chronique. Il avait prévu un système de canaux et un réservoir qui porte toujours le nom de barrage Zola, mais il mourut avant la fin des travaux. Émile était alors âgé de 6 ans; sa mère, dans une série de procès, perdit l'argent dont elle avait hérité.

En acceptant d'aller vivre dans des logements de plus en plus pauvres, elle réussit à envoyer son fils unique au Collège Bourbon. Là, il noua, avec Cézanne, une amitié qui devait durer presque toute leur vie. Des années plus tard, au faîte de la célébrité littéraire, Zola rappelait que, bien que Cézanne et lui fussent « opposés par nature », ils

Avant d'avoir choisi de devenir
peintre, Cézanne pensait écrire.
Peu d'échantillons nous restent de
ses premiers efforts. Les deux
premiers poèmes que l'on trouvera
ci-dessous sont extraits de lettres
qu'il écrivit à Zola lorsqu'il avait
environ 20 ans. Le troisième a
été griffonné au revers d'une
aquarelle d'étude pour le tableau
Apothéose de Delacroix.

En plongeur intrépide
Sillonner le liquide
de l'Arc ;
Et dans cette eau limpide
Attraper les poissons que
m'offre le hasard.

* * *

Le temps est brumeux
Sombre et pluvieux,
Et le soleil pâle
Ne fait plus aux cieux
Briller à nos yeux
Les feux de rubis et d'opale.

* * *

Voici la jeune femme
aux fesses rebondies.
Comme elle étale bien
au milieu des prairies
Son corps souple,
splendide épanouissement ;
La couleuvre n'a pas de
souplesse plus grande,
Et le soleil qui luit darde
complaisamment
Quelques rayons dorés sur
cette belle viande.

étaient « attirés l'un vers l'autre par des affinités secrètes, le tourment encore vague d'une ambition commune, l'éveil d'une intelligence supérieure au milieu d'une foule brutale de cancres qui nous frappaient. »

Cézanne et Zola communiaient dans leurs enthousiasmes littéraires. Ils admiraient particulièrement le romantisme de Victor Hugo, de Lamartine et de Musset. Ils parlaient de leur avenir et s'encourageaient l'un et l'autre à entreprendre une carrière d'artiste. Et l'un et l'autre se voyaient futurs poètes. Avec des amis, ils vagabondaient dans la campagne autour d'Aix, nageaient, grimpaient aux arbres et, selon des souvenirs que Zola évoquait volontiers au cours de sa maturité, criaient des poèmes sous les arbres. La nostalgie de cette jeunesse idyllique demeura au cœur de Cézanne jusqu'à la fin de sa vie, lorsqu'il se rappelait « les sentiments qu'agitait en nous le bon soleil de Provence. »

L'amitié de Zola et de Cézanne a exercé, sans aucun doute, de profondes influences sur chacun des deux hommes. Zola joua un rôle important dans les débuts de la carrière de peintre de Cézanne. Quelque temps plus tard, la doctrine de celui-ci en matière de peinture allait influencer les goûts de Zola. Zola deviendrait — avec la mère de Cézanne, la sœur de celui-ci, Marie, et, plus tard, Paul, son fils — un confident et un conseiller important, sinon toujours écouté ; il fit beaucoup pour l'avancement des affaires de Cézanne. L'ironie du sort a voulu que, longtemps après, chacun des deux crût que l'autre avait trahi les idées artistiques qu'ils avaient partagées pendant leur jeunesse.

Le Cézanne que connut Zola à cette époque était d'humeur changeante, passionné et contraint. Il avait des enthousiasmes brusques et des dépressions tout aussi brusques. « Lorsqu'il te blesse », écrivait Zola à Baptistin Baille, leur ami d'enfance commun, « tu ne dois pas blâmer son cœur mais plutôt le mauvais démon qui assombrit ses pensées ». Lorsqu'il était de bonne humeur, Cézanne se montrait extravagant et imprévisible. « Cet ami poétique, fantastique, jovial, érotique, antique, physique, géométrique, qui est le nôtre », ainsi Baille décrivait-il Cézanne alors âgé de 19 ans.

Le mot « érotique » fait sans aucun doute davantage référence aux désirs de Cézanne qu'à ses actes. Il parlait souvent à Zola de ses visions amoureuses — « tu inventerais l'amour », lui écrivit Zola, un jour, « si ce n'était pas une invention aussi ancienne » — mais il était excessivement timide en présence de femmes ; il en avait presque peur.

Parmi les informations les plus valables dont nous disposons sur sa jeunesse figurent les notes que Zola écrivit longtemps après, pour son roman *l'Œuvre* dont le héros est pour beaucoup le reflet de Cézanne. Zola observe que son ami était toujours las des femmes. « Je n'ai pas besoin des femmes », écrivit-il, citant Cézanne. « Elles me dérangeraient trop. Je ne sais même pas à quoi elles sont bonnes — j'ai toujours eu peur d'essayer. » Dans le roman lui-même, Zola dit de son héros qui a pratiquement banni l'amour physique de sa vie : « C'était une passion d'homme chaste pour la chair des femmes, un amour fou de la nudité désirée et jamais possédée... »

Les angoisses de l'adolescent turbulent que fut Cézanne se reflètent dans la poésie violente et macabre qu'il écrivait à l'époque. Dans un poème intitulé *Une terrible histoire*, nous découvrons le poète à minuit dans une forêt obscure poursuivi par des gnomes commandés par Satan et enlacé par un cadavre. Dans une autre œuvre illustrée par les premiers dessins que nous possédions de Cézanne, une famille à table dévore une tête servie par le père de famille, tandis que les enfants en demandent encore : « Moi, j'ai bien faim, donne cette oreille! — A moi le nez! — A moi cet œil!... » Et l'on ne s'étonnera pas de trouver dans un autre poème le mot crâne rimant avec Cézanne.

La plupart de ses œuvres bizarres, Cézanne les adressait à Zola qui était allé habiter Paris en février 1858, juste après que son ami eut 19 ans. C'est la pauvreté qui avait chassé Zola : sa mère, qui n'avait plus les moyens de vivre à Aix avec son fils, avait décidé de demander l'aide de vieux amis de son mari, à Paris. Zola espérait y trouver « la récompense et l'amante que Dieu nous réserve à 20 ans », mais les premiers mois qu'il passa dans la capitale ne lui apportèrent ni l'une ni l'autre. Dans sa solitude et sa tristesse, il écrivait fréquemment à ses amis d'Aix, surtout à Cézanne, commençant une correspondance qui allait durer pendant près de trente ans.

Cézanne lui-même écrivit beaucoup toute sa vie, non seulement à ses amis d'enfance mais à des peintres, à des critiques, à des poètes et à quelques collectionneurs puis, pendant ses dernières années, à de jeunes admirateurs de son œuvre ainsi qu'à son fils Paul. Contraint dans les contacts directs, il comptait apparemment sur la correspondance pour entrer en communication avec le monde.

Lorsque commença la correspondance qu'il entretint avec Zola, Cézanne terminait ses études secondaires et continuait à fréquenter l'académie locale de dessin. Mais, malgré l'intérêt qu'il portait à l'art, il n'avait pas encore d'idée bien claire sur ce qu'il allait faire. Zola lui manquait et sa propre inaction le déprimait. « Je suis lourd, stupide et lent », écrit-il dans une lettre, et dans une autre : « Un certain dégoût m'accompagne partout, et ce n'est que par moments que j'oublie mon chagrin — lorsque j'ai un peu bu. »

Cet air d'apathie n'est pas commun à toutes ses lettres; certaines — griffonnées d'une main nerveuse et illustrées de dessins à la plume et d'aquarelles — sont héroï-comiques ou juvénilement exubérantes. Elles décrivent les études de Cézanne, ses efforts pour passer le baccalauréat au Collège Bourbon, les activités d'amis communs, les filles qu'il admirait de loin. Dans ses lettres, rien n'apparaît de la violence rencontrée dans les poèmes, ni, non plus, aucune mention d'un quelconque désir de peindre.

Pendant l'automne 1858, son baccalauréat passé après un échec, Cézanne s'inscrivit, sur les instances de son père, à la faculté de droit de l'université d'Aix. Il écrivait à Zola : « Hélas, j'ai pris du droit la route tortueuse. / J'ai pris n'est pas le mot; de prendre on m'a forcé. / Le droit, l'horrible droit, d'ambages enlacé, / Rendra pendant trois ans mon existence affreuse. »

Il resta à la faculté de droit pendant deux ans, toujours contre sa volonté, et c'est apparemment au cours de cette période qu'il décida, sans grande conviction, de devenir peintre. Pourquoi choisit-t-il la peinture plutôt que la littérature, nous l'ignorons. Pendant la plus grande partie de son adolescence, il avait rêvé d'être écrivain et Zola croyait que Cézanne était des deux le meilleur poète. « Mes vers, disait-il, sont peut-être plus purs que les tiens, mais les tiens sont certainement plus poétiques, plus vrais; tu écris avec le cœur; moi, avec la tête. »

Peut-être Cézanne ne voulait-il pas entrer en compétition avec

son ami qui poursuivait déjà une carrière littéraire. En tout cas, il est certain qu'il songeait à se tourner vers la peinture au printemps de 1859; dans une lettre du 20 juin, dans laquelle il décrit son amour sans espoir pour une jeune fille du pays qui le dédaigne, il lui écrit, en effet : « Ah! que de rêves j'ai bâtis, et plus fous encore! Mais vois-tu, c'est comme ça; je me disais en moi : si elle ne me détestait pas, nous irions à Paris ensemble, là je me ferais artiste, nous serions ensemble. Je me disais comme ça, nous serions heureux; je rêvais de tableaux, un atelier au quatrième étage, toi avec moi; c'est alors que nous aurions ri. »

Il détestait le droit et était par tempérament incapable de prendre la tête de la banque familiale à la suite de son père. Il n'était pas assez fort pour défier celui-ci ouvertement et se montrait vacillant dans sa résolution de devenir peintre, si bien que Zola qui l'avait pressé de venir à Paris pour étudier son art laissa, un jour, sa colère éclater dans une lettre : « Peindre, n'est-ce pour toi qu'une fantaisie qui t'a prise un beau jour d'ennui? Est-ce seulement un passe-temps, un sujet de conversation, un prétexte pour ne rien faire à la faculté? Si c'est le cas, je comprends ta conduite... Mais si c'est ta vocation... alors tu es une énigme, un sphinx, quelqu'un d'une incohérence et d'une obscurité indescriptibles. »

Zola avait décidé que Cézanne n'avait pas « assez de caractère » et poursuit : « Tu as peur de l'échec, en pensée comme en action; ton premier principe est de laisser les choses suivre leur cours et de t'abandonner à la merci du temps et du hasard. » Et il terminait par une exhortation : « C'est l'un ou l'autre, sois un véritable juriste, ou sois un véritable artiste, mais ne demeure pas une créature sans nom, portant une toge maculée de peinture. »

La lettre dépeignait avec exactitude un aspect de la nature de Cézanne, bien qu'elle ne constitue aucunement un reflet de l'ensemble de celle-ci. Mais elle n'engagea pas Cézanne à l'action comme Zola l'avait espéré. Louis-Auguste, par désir de compromis, permit à son fils d'installer un atelier au Jas de Bouffan. Lorsque Cézanne ne se débattait pas avec le droit, il peignait là et à l'académie de dessin

Cézanne avait environ 20 ans lorsqu'il peignit sur quatre panneaux des personnages représentant les saisons. L'un d'eux, ci-dessus, représente l'automne sous les apparences idéalisées d'une paysanne portant un panier de fruits sur la tête. Cézanne peignit ces panneaux sur les murs du salon *(ci-contre, à droite)* au Jas de Bouffan, la maison que ses parents possédaient à la campagne. Dans un accès de juvénile irrévérence, il les signa « Ingres » et data l'une d'elles de 1811 comme pour en authentifier l'origine. Le tableau plus petit que l'on voit au centre est un portrait de son père lisant un journal; il date de quelques années plus tard.

où il eut pour professeur un artiste local très classique du nom de Joseph Gibert.

De cette époque — environ de l'automne 1858 au printemps 1861 — parmi les quelques œuvres de Cézanne qui ont survécu, on compte *les Enfants au lapin*, d'après une gravure reproduisant le tableau de Prud'hon qui porte ce nom, des études d'après les œuvres de Dubufe et de Frillié exposées au musée Granet, et une série de quatre panneaux représentant les saisons, que Cézanne peignit sur les murs du salon au Jas de Bouffan.

La copie que fit Cézanne du *Baiser de la muse* de Frillié devint le tableau favori de sa mère. Contrairement à son mari, celle-ci semble avoir soutenu, dès le début, les aspirations artistiques de son fils, bien qu'elle n'ait eu apparemment aucun goût pour la peinture. On sait très peu de choses de Mme Cézanne sinon qu'elle n'avait à peu près aucune éducation. Elle était illettrée au moment de son mariage et, même au milieu de sa vie, ne signait son nom qu'avec difficulté. Mais elle emportait avec elle le *Baiser* chaque fois que la famille quittait la ville pour la campagne. Soudain, au printemps de 1861, Louis-Auguste finit par céder aux supplications de sa femme et de son fils et laissa Paul abandonner ses études de droit pour aller peindre à Paris. En avril, Cézanne se mit en route vers la capitale et s'installa dans une chambre meublée pas très loin de chez Zola. Il commença à fréquenter l'Atelier suisse qui fournissait un modèle mais pas d'instruction, pour se préparer à l'examen d'entrée à l'École des Beaux-Arts.

Les camarades de Cézanne à l'Atelier suisse se souviennent de son lourd accent provençal, de la rudesse de ses manières et de sa passion exclusive pour son travail. Il devint un sujet de plaisanteries dans sa classe; on le connaissait sous le nom de « l'écorché » à cause de son extrême sensibilité à la critique. Claude Monet, d'un an plus jeune que Cézanne, était arrivé du Havre à Paris deux ans avant lui et venait parfois travailler à l'Atelier suisse. Des années plus tard, Monet évoquait une habitude de Cézanne qui avait attiré l'attention de tous : il plaçait toujours un chapeau noir et un mouchoir blanc près de son modèle pour ne pas perdre de vue les deux extrêmes entre lesquels il devait situer ses valeurs tonales.

A 22 ans, Cézanne était mince, grand — il mesurait presque 1,80 m — avec les épaules tombantes. La plus ancienne photographie que l'on ait de lui date de cette époque. Elle montre un homme jeune, à la beauté sombre, d'un type plus proche de l'Italien du Sud que du Français. A partir de cette photographie *(page 22)*, Cézanne peignit un autoportrait *(page 9)* qui laisse transparaître les sentiments qu'il pouvait nourrir vis-à-vis de lui-même, à l'époque. Il a allongé son menton, accentué ses pommettes et ses sourcils et donné à ses yeux une fixité presque paranoïaque. On a l'impression d'une menace qui couve.

Au cours de son séjour à Paris, Cézanne alla visiter le salon annuel de la toute-puissante Académie des Beaux-Arts et exprima son enthousiasme pour la peinture classique en vogue qui y était exposée — il s'agissait d'œuvres très semblables à celles qu'il avait admirées à Aix. Mais ses goûts changèrent rapidement lorsqu'il fut exposé aux idées de ses camarades de l'Atelier suisse. L'un d'eux, Achille Emperaire, était originaire d'Aix et semble avoir exercé une forte influence sur Cézanne lorsqu'il rejeta le style académique. C'était un nabot presque bossu, de dix ans plus vieux que Cézanne et qui peignit beaucoup de nus sans grand caractère. Il admirait le Tintoret et Véronèse et emmena Cézanne au Louvre voir les œuvres de ces peintres et celles de Rubens, de Titien et de Giorgione. Ce retour aux sources auprès des vieux maîtres, s'il commença sous l'influence d'Emperaire, ne prit jamais vraiment fin pour Cézanne. Toute sa vie, l'artiste retourna périodiquement au musée pour étudier les Vénitiens, Rubens, Michel-Ange et dessiner d'après leurs œuvres. « Le Louvre », écrivit-il beaucoup plus tard, « est le livre dans lequel nous apprenons à lire. »

Zola voyait moins Cézanne qu'il ne l'avait espéré. Il constata bientôt que la première expérience de celui-ci à Paris n'était pas un succès. Avant qu'un mois ne se fût écoulé, Cézanne parlait amèrement de retourner à Aix pour entrer dans la banque de son père. « Je pensais qu'en quittant Aix, je laisserais derrière moi l'ennui qui me poursuit », écrivait-il à un ami. « En réalité, je n'ai fait que changer de domicile, et l'ennui m'a suivi. »

Il y avait sans doute des raisons nombreuses au désenchantement de Cézanne; l'une d'elles était sans doute qu'il avait tout simplement le mal du pays. Plus grave encore, il éprouvait du découragement à l'égard de son travail. Son talent ne se révélait pas vite et il avait probablement constaté que de nombreux peintres de l'Atelier suisse en connaissaient beaucoup plus que lui sur l'art et travaillaient avec une technique meilleure que la sienne. Il eut d'ailleurs du mal à acquérir celle-ci. Toute sa vie, et même après on la critiqua, à cause des distorsions existant dans son œuvre.

Le problème se complique du fait qu'il existe deux sortes de distorsions. En premier lieu, il existe celles que l'on trouve dans certaines de ses premières œuvres — *l'Orgie,* par exemple, ou la première version de *Une moderne Olympia.* Ces distorsions résultent de l'inaptitude de Cézanne, à ce moment de sa carrière, à coucher sur la toile les images violentes et complexes issues de son imagination. Puis on rencontre des distorsions — ce sont les plus importantes — dans les peintures de sa grande époque. Celles-ci sont la conséquence logique de la façon dont Cézanne concevait ce que devait être un tableau. Qu'elles aient été involontaires ou délibérées, elles ne constituent pas des maladresses, mais le reflet de la vision artistique de Cézanne.

On a heureusement conservé quelques croquis faits par Cézanne pendant qu'il étudiait à l'Atelier suisse; ils donnent une idée de son habileté à l'époque. Son coup de crayon montre que, pour n'avoir pas été un étudiant particulièrement doué, il serait devenu un peintre académique parfait s'il l'avait désiré. Il savait définir une forme par son contour et réussir un dégradé au crayon fin. Il faisait aussi preuve d'une bonne connaissance de l'anatomie.

En 1861, cependant, il se faisait beaucoup de soucis pour les progrès de sa carrière d'artiste. Son état d'esprit malheureux affectait ses relations avec Zola. Ce dernier espérait que Cézanne et lui partiraient pour de longues randonnées, en fin de semaine, aux environs de Paris, comme ils le faisaient autrefois à Aix. Et les expéditions prévues se réalisaient rarement. Cézanne se renfermait de plus en plus, disparaissait plusieurs jours, et un beau matin quitta Paris sans dire à Zola qu'il allait dessiner à Marcoussis, non loin de la Seine. Converser avec Cézanne, écrivait Zola à Baille, était devenu extrêmement dif-

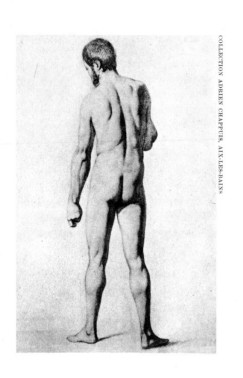

Le nu académique ci-dessus a été exécuté par Cézanne alors âgé de 23 ans d'après un modèle posant dans une école de dessin d'Aix. Bien que le père de Cézanne se fût opposé aux aspirations artistiques de son fils, il lui permit de suivre des cours de dessin, sans doute parce qu'il considérait que la culture en matière de musique et d'art faisait partie de l'éducation d'un jeune homme de bonne famille. Le dessin ci-dessus montre que Cézanne avait assimilé les techniques enseignées dans les écoles de son époque.

ficile : « S'il avance une opinion mal fondée et qu'on la critique, il laisse éclater sa rage, hurle que l'on ne connaît rien au sujet et s'empresse de passer à un autre. » Comme cet extrait de correspondance le laisse penser, Zola avait échoué dans ses efforts pour conseiller et encourager Cézanne. Essayer de lui démontrer quelque chose, se plaignait-il, équivalait à « tenter de persuader les tours de Notre-Dame de danser un quadrille. »

Un après-midi, Zola passa chez Cézanne et le trouva prêt à partir, sa malle bouclée. Pour le retarder, Zola, que Cézanne avait déjà peint plusieurs fois, prétendit qu'il voulait poser pour un autre portrait. Cézanne accepta mais, quelques jours plus tard, il détruisit le travail presque terminé et se prépara de nouveau à partir. Tout ce qui reste des portraits de Zola que Cézanne entreprit à cette époque est un croquis de profil, inachevé.

'Bien que Zola eût, pendant quelque temps, réussit à empêcher le départ de Cézanne, celui-ci retourna à Aix au cours de l'automne, après avoir passé cinq mois à Paris. Zola le vit partir avec des sentiments divers. Il ne lui écrivit pas le premier ; c'est Cézanne qui prit la plume, plusieurs mois plus tard. Lorsque Zola répondit enfin, ce fut pour reconnaître que « Paris n'avait pas fait de bien à notre amitié. » En privé, il exprimait une opinion qu'il devait conserver tout le reste de sa vie et qui devait, en fin de compte, anéantir ses relations amicales avec Cézanne : « Paul a peut-être le génie d'un grand peintre, mais il n'aura jamais assez de génie pour en devenir un. Le moindre obstacle le fait désespérer. »

Cézanne demeura à Aix un peu plus d'un an. Pour faire plaisir à son père, il entra comme employé dans la banque familiale. Il détestait le monde des affaires et s'inscrivit de nouveau à l'académie locale de dessin. Sur un registre de la banque, il griffonna un jour ce distyque amer : « Mon père le banquier ne voit pas sans frémir / Au fond de son comptoir naître un peintre à venir. » Ce qui était en train de naître au fond de son comptoir, Louis-Auguste ne le savait pas, pour sûr, mais ce n'était certainement pas un banquier. A contrecœur, il abandonnait l'idée de voir son fils lui succéder dans ses affaires ; aussi lui permit-il de retourner à Paris.

Cézanne n'aurait peut-être pas eu le courage de tenter à nouveau sa chance à Paris sans la présence de Zola qui était alors employé à la librairie Hachette. Pendant l'été 1862, Zola passa ses vacances à Aix, travaillant à son premier roman, *la Confession de Claude*. L'exemple de cette capacité productive en matière artistique fut peut-être l'aiguillon dont l'ambition de Cézanne avait besoin. Toujours est-il qu'en novembre 1862, peu après que Zola fut rentré à Paris, Cézanne l'y suivit, pourvu d'une petite allocation qui lui permettait de peindre sans se soucier de sa situation matérielle.

Et il retourna à l'Atelier suisse. Mais, sur les instances de son père, il demanda à être admis à l'École des Beaux-arts. A en juger d'après les quelques tableaux qui restent de cette époque — en particulier, un portrait de son père et un autoportrait de l'artiste — les examinateurs avaient tout à fait raison de remarquer que la peinture de Cézanne sentait la révolte. Ils rejetèrent sa demande, mais Cézanne n'en fut pas affecté. Il avait déjà perdu son respect pour la peinture académique et continuait de travailler à l'Atelier suisse. Il avait 23 ans et sa carrière allait commencer.

En progressant dans ses études de l'anatomie humaine, Cézanne en vint à abandonner peu à peu le strict réalisme. Le dessin ci-dessus, qui date probablement de l'époque où il entra à l'Atelier suisse à Paris, au début des années 1860, constitue une description minutieuse d'une musculature. Ci-dessous, dans un dessin qui représente un baigneur et fut exécuté de nombreuses années plus tard, Cézanne définit la silhouette mais utilise un trait plus libre et plus lâche.

Le génie visionnaire de Paul Cézanne s'est nourri des tensions émotionnelles de son adolescence. Il était le fils unique d'un père arrogant *(ci-contre à droite)* et grandit dans la petite ville tranquille et ombragée d'Aix-en-Provence. Son père, financier, voulait donner à son fils une situation dans la banque familiale, à Aix. Il envoya le jeune Paul dans une pension fréquentée par les enfants de la bonne société, puis à la faculté de Droit locale.

Mais Cézanne était déchiré par des passions incompatibles avec les contraintes de la vie d'un homme d'affaires en province. Passant tour à tour par des accès de colère et de dépression, l'imagination enflammée par des visions morbides d'érotisme et de violence, il chercha dans la peinture un moyen d'exprimer ses troubles. A vingt-deux ans, il finit par obtenir de son père la permission d'abandonner sa licence en droit pour aller étudier l'art à Paris.

Ses efforts de jeune peintre lui apportèrent peu de satisfaction personnelle et pas de succès du tout. Le public et les critiques se moquaient tant de ses œuvres qu'il en conçut de l'amertume et, parlant de la carrière de peintre, il dit un jour que c'était une « vie de chien ». Son enthousiasme initial tourna vite au doute et au découragement — « L'horizon est sombre pour moi », se lamentait-il. Pourtant, il ne pouvait s'empêcher de continuer à peindre et, dans sa lutte pour exprimer ses troubles internes, il apprenait lentement à discipliner son puissant talent.

Des débuts tourmentés

« Sarcastique, républicain, bourgeois, froid, méticuleux, désagréable », voici comment Zola, ami d'enfance de Cézanne, décrivait le père de l'artiste. Pourtant, c'est en lui donnant une dignité tranquille que Cézanne a peint le vieil homme assis dans le salon familial, à Aix. Sur le mur, au-dessus du fauteuil (qui figure aussi comme support dans les tableaux des pages 26 et 28), est accrochée l'une des premières natures mortes de Cézanne.

Portrait de Louis-Auguste Cézanne lisant l'Événement, v. 1866

Paul Cézanne à 22 ans

Émile Zola à 25 ans

Baptistin Baille peu après ses 20 ans

L'amitié d'enfance qui se développa entre Zola et Cézanne fut, pour partie, à l'origine du conflit entre celui-ci et son père. Les deux garçons se rencontrèrent au collège à Aix. Ils avaient en commun une passion fervente pour la littérature et l'art, ainsi qu'une violente opposition à la vie que l'on menait dans la petite ville provinciale, au milieu du dix-neuvième siècle. Avec un troisième larron, Baptistin Baille, ils nouèrent une amitié si étroite que leurs camarades d'école les appelaient « les inséparables. » Ensemble, ils parcouraient la campagne, des livres de poésie à la main, nageaient dans une rivière près d'Aix et écrivaient des vers romantiques. « Nous cherchions la richesse du cœur et de l'esprit », devait plus tard écrire Zola.

Le sort sépara les amis lorsque Zola dut s'installer à Paris en 1858 et que Baille l'y suivit quelques années plus tard pour entrer dans une école d'ingénieur. Mais ils préservèrent leur amitié grâce à une abondante correspondance. Cézanne écrivait des lettres dépeignant ses émotions; Zola répondait en le pressant de quitter la maison familiale — un château entouré de quinze hectares de parc que son père venait d'acheter près d'Aix *(à droite)* — et de venir à Paris. Ce conseil provoqua la colère du père de Cézanne qui reprocha à Zola les « idées malsaines » qui poussaient son fils à vouloir devenir peintre; Cézanne finit cependant par suivre sa voie.

Le Jas de Bouffan

Dans ses lettres à Zola, Cézanne fait part à son ami de ses folles rêveries, de ses désespoirs profonds, de ses amours non partagées. Celle dont on trouve le fac-similé à gauche a été écrite en 1859 et s'orne d'un dessin nostalgique des « inséparables » nageant dans une rivière près d'Aix. Elle raconte le sentiment qu'il porte à une jeune fille qu'il connaît à peine, et qui ne le lui rend pas. En voici quelques extraits :

« J'ai eu un vif amour pour une certaine Justine, laquelle est vraiment very fine ; mais, comme je n'ai pas l'honneur d'être of a great beautiful, elle m'a toujours détourné la tête quand je dirigeais mes mirettes vers elle, elle baissait les yeux et rougissait, maintenant j'ai cru remarquer que lorsque nous étions dans la même rue, elle faisait comme qui dirait un demi-tour et s'esquivait sans regarder derrière elle... Je ne suis pas heureux, et dire cependant que je suis en risque de la rencontrer trois ou quatre fois par jour... »

Lorsque Cézanne arriva à Paris, au printemps de 1861,
il se contenta, pendant un certain temps, de dessiner
dans le style classique précis des artistes académiques en vogue.
Des exercices aussi vains ne pouvaient pas satisfaire longtemps
son esprit investigateur et troublé; aussi commença-t-il bientôt
à peindre des toiles sauvages remplies de scènes de violence,
de sexualité et de mort. Le croquis d'un cadavre *(ci-dessous)*
effectué pour un tableau ultérieur, *l'Autopsie*, révèle ses
tendances morbides, avec son modelé audacieux, lourdement
souligné, qui fait ressortir la gaucherie du corps frappé de
rigidité. Dans la scène fantastique de la *Tentation de saint
Antoine (à droite, en haut)*, Cézanne a librement et
vigoureusement projeté ses couleurs sur la toile, éliminant sans
pitié les détails traditionnels, exagérant les formes voluptueuses
des tentatrices nues, et reléguant saint Antoine en un coin retiré.
Le même style lâche du dessin, les mêmes couleurs sombres
contrastant avec des taches de lumière dominent dans
le Meurtre *(à droite, en bas)*, où l'on voit un assassin et sa
complice penchés sur leur victime sous un ciel de plomb.
Cézanne plaquait ses couleurs en s'abandonnant si bien à ses
émotions qu'un ami d'enfance disait, « Il donnait l'impression
de vouloir se venger de quelque blessure secrète ».

Étude pour *l'Autopsie*, 1867-1869

La Tentation de saint Antoine, 1867-1869

Le Meurtre, 1867-1870

Les premiers tableaux de Cézanne n'ont pas tous la violence et l'horreur pour thème. Dans certains d'entre eux, les sujets classiques traités avec calme apportent la preuve des efforts qu'il faisait pour contrôler son imagination débordante. Parmi les plus réussis figure une série de portraits exécutés pendant ses fréquents séjours à Aix.

La *Jeune fille au piano (ci-dessous)* présente une scène familiale paisible dans le salon des Cézanne. Avec ses personnages tranquilles, judicieusement disposés par rapport aux motifs chargés du papier peint, à la carpette rayée et à la housse à fleurs du fauteuil, le tableau démontre l'intérêt croissant de Cézanne pour une composition équilibrée. Sans doute s'agit-il

de la mère du peintre et de sa sœur Marie qui l'encouragèrent toutes les deux mais ne lui servirent très rarement de modèle.

Un sujet beaucoup plus fréquemment traité par Cézanne était son oncle Dominique, qui posa patiemment pour le jeune peintre dans une grande variété de costumes et d'attitudes. Lorsqu'il modelait les traits forts de Dominique d'un couteau vigoureux, Cézanne donnait à la silhouette de celui-ci une gravité monumentale qui naissait de la rudesse des contours et du contraste des couleurs. Les séances de pose étaient apparemment beaucoup moins sérieuses puisqu'un observateur rapportait qu'un artiste ami de Cézanne y assistait souvent, ponctuant l'apparition du portrait de « blagues terribles ».

Portrait de moine (l'oncle Dominique), 1865-1867

Jeune fille au piano, v. 1866   *L'Homme au bonnet de coton (l'oncle Dominique)*, 1865-1867

27

Portrait de l'ami de l'artiste, le peintre Achille Emperaire, v. 1868

Cézanne attendit longtemps avant de voir sa valeur reconnue. Chaque année, il soumettait des toiles au Salon, la grande exposition de peintures patronnée par l'Académie des Beaux-Arts, arbitre suprême du bon goût. Chaque année, ses tableaux étaient refusés.

Il n'est pas difficile d'en trouver les raisons. Les juges du Salon préféraient des sujets historiques ou littéraires de facture naturaliste. Le grand succès du Salon de 1870 fut la *Salomé (ci-dessus à droite)* de Regnault, qui témoignait d'une grande maîtrise de la composition et du dessin mais prouvait en même temps que

Henri Regnault : *Salomé*, 1870

l'auteur était passé à côté des implications
psychologiques du sujet — la femme fatale qui,
à l'instigation de sa mère, demanda et obtint
la décollation de saint Jean-Baptiste. La plus
importante des toiles présentées par Cézanne à
ce même Salon était un portrait puissant
(ci-dessus, à gauche) qui n'avait rien de la grâce,
du charme et du fini de *Salomé*. Il avait pour
sujet Achille Emperaire — dont le nom et
la profession, « Peintre », avaient été soigneusement
écrits par Cézanne au sommet de sa toile qui
mesurait près de deux mètres de haut.
Non seulement le portrait de ce nain est-il

ressemblant, mais encore dégage-t-il une force
primitive qui révèle une compréhension profonde
et presque cruelle du malheureux état de l'infirme
ami du peintre. Avec ce portrait, Cézanne soumit
aussi un tableau représentant un nu couché,
au tracé angulaire : les deux œuvres choquèrent
tellement le monde artistique par leur audacieuse
rupture avec les conventions que leur auteur
fut caricaturé dans un journal parisien
(à gauche) et tourné en ridicule comme le
maître de tous ceux qui peignent avec « un
couteau, une brosse, un balai ou tout autre
instrument. »

La Tranchée du chemin de fer, 1869-1871

Moqué par les critiques et dédaigné par le public, Cézanne
échappait à ses frustrations par un travail intensif.
Il s'enfermait dans son atelier pendant des semaines,
réalisant toile après toile avec une énergie inlassable.
« Je n'ai jamais fini, disait-il, jamais, jamais ».
Il en vint peu à peu à mettre au point un style unique,
bien à lui, qui allait illuminer les grands paysages et les
natures mortes qu'il peignit quelques années plus tard.

Une stabilité et une maîtrise nouvelles commençaient
à régir l'œuvre de Cézanne. Comme s'il cherchait à discipliner
son tempérament rebelle, le peintre parvenant à sa maturité
se mit à disposer les éléments de ses toiles avec méthode
et précision. Dans *la Tranchée du chemin de fer (ci-dessus)*,
le premier des nombreux tableaux que Cézanne devait faire
de la montagne Sainte-Victoire près d'Aix, il crée un équilibre
entre la maison située à gauche et la montagne rude et
massive, à droite. Les différents objets qui figurent dans
la Pendule noire (à droite) sont disposés entre eux avec autant
de sûreté que les briques d'un mur. Cézanne construit un
cadre rigide de lignes verticales et horizontales — la pendule
rectangulaire et le miroir derrière elle, le haut vase de verre, le
contour de la coquille et le bord de la tasse, tout va avec
le dessin rectangulaire formé par les plis de la nappe qui paraît
aussi massive qu'un monument. En accédant à la maîtrise de
son art, Cézanne avait commencé, selon un ami, « à discipliner
son tempérament et à lui imposer le contrôle de la science pure ».

La Pendule noire, 1869-1871

II

Une culture contestée

C'est ce bâtiment flamboyant qui constituait l'entrée principale de l'Exposition Universelle de 1889. Celle-ci glorifiait le siècle de progrès qui avait suivi la Révolution et mettait en valeur les prouesses scientifiques et industrielles de la France. L'illustration ci-contre, tirée d'une revue, avec sa débauche de costumes exotiques, présente un échantillon des 30 millions de visiteurs qui s'y retrouvèrent, venant du monde entier.

Dans leur empressement à acclamer en Cézanne un libérateur et un révolutionnaire, nombre de ses admirateurs ont négligé le fait qu'il était avant tout un homme de son époque. Il est vrai que, par inclination, il refusait de prendre parti sur les grands problèmes de son temps, mais son art ne constitue pas un phénomène isolé. En réalité, la puissance avec laquelle Cézanne s'est adressé au XXe siècle est due, pour partie, à la sensibilité avec laquelle il a répondu, en tant que peintre, aux changements qui suivaient leur cours, dans le monde où il vivait — changements qui ont radicalement altéré le caractère politique, économique et social du monde occidental. Pour saisir la véritable nature de son originalité personnelle et artistique, nous devons examiner rapidement certains des troubles qui secouèrent la France au milieu du XIXe siècle.

Pendant les quelque cinquante ans qui suivirent la Révolution de 1789, la France connut six régimes qui tous, sauf un, furent renversés par la force; aussi André Maurois put-il comparer la France de cette époque à « un élastique tendu vibrant de droite à gauche, incapable de rester en repos. » Deux combats pour le pouvoir faisaient rage, liés l'un à l'autre. A l'origine, la question était de savoir si la bourgeoisie conserverait l'autorité qu'elle avait conquise au cours de la Révolution ou si celle-ci reviendrait à l'aristocratie. La restauration des Bourbon en 1815 rendit à la noblesse un bref avantage mais, en fin de compte, la victoire bourgeoise fut totale. En 1830, lorsque Louis-Philippe, dont les sympathies allaient à la Révolution, devint le « Roi Citoyen », la classe moyenne avait assuré son pouvoir sur la France.

Mais, tandis que cette lutte de classes trouvait une issue, une autre s'apprêtait à éclater. La domination politique de la bourgeoisie était, en partie du moins, le résultat de la révolution industrielle. Tandis que celle-ci enrichissait et développait la classe moyenne, elle créait aussi le prolétariat urbain des ouvriers d'usine qui vivaient, pour la plupart, dans des conditions d'extrême pauvreté. A bien des intellectuels libéraux, cette situation paraissait inadmissible; aussi portaient-ils leur regard vers une France nouvelle dirigée par les classes laborieuses. L'écrivain Gustave Flaubert exprimait plus qu'un sentiment personnel lorsqu'il écrivait que « la haine du bourgeois est le commencement de la sagesse. »

En 1848, la lutte des classes en France ne se déroule plus entre aristocrates et bourgeois mais entre bourgeois et ouvriers. En février de cette année-là, les ressentiments et les revendications du prolétariat trouvèrent une expression violente au cours des quelques jours d'une émeute parisienne — dont les barricades sont restées le symbole — qui renversa le gouvernement de Louis-Philippe et instaura la Seconde République.

A son avènement, le nouveau régime fit avancer la cause du prolétariat en prenant quelques dispositions dont la plus importante fut la proclamation du suffrage universel des citoyens mâles, pour la première fois dans l'histoire de la France. Pendant une courte période, il sembla que la révolution sociale que Karl Marx commençait à prêcher allait se produire pour de bon.

Mais, en décembre 1848, le prince Louis Napoléon Bonaparte, neveu de l'Empereur dont le règne s'était achevé à Waterloo en 1815, fut élu président de la République grâce à l'appui que les grandes banques ne lui ménagèrent pas. Peu après, le gouvernement prit une série de mesures limitant les libertés de la presse et de réunion et, grâce à une loi électorale nouvelle, écarta des urnes trois millions de citoyens qui venaient de recevoir le droit de vote. En décembre 1851, le Président s'octroya des pouvoirs dictatoriaux et se fit proclamer Empereur, un an après, sous le nom de Napoléon III.

Cet homme curieux et plein de contradictions portait une affection réelle aux ouvriers et ses idées sociales étaient, à certains égards, en avance sur celles de son temps; il alla même jusqu'à rendre le droit de vote au prolétariat. Mais il était convaincu que la stabilité dont la France avait si désespérément besoin ne pouvait provenir que d'un régime autoritaire. « Bien que mes principes soient républicains, écrivait-il, je pense que c'est la monarchie qui convient le mieux à la France. »

Le nouvel Empereur lança son pays dans une période marquée par l'expansion industrielle et les aventures impérialistes. Au début, celles-ci tournèrent bien; ce fut la victoire franco-britannique sur la Russie à l'issue de la guerre de Crimée, en 1856, et les victoires françaises à Magenta et à Solférino, en 1859, qui chassèrent les Autrichiens d'Italie. Mais l'Empire connut une fin désastreuse en 1870 lorsque les armées françaises s'effondrèrent après un mois de guerre contre les forces prussiennes de Guillaume Ier.

Cependant, sous le Second Empire, la France s'était enrichie. Le gouvernement accéléra la construction des chemins de fer, favorisa la concentration industrielle, soutint l'organisation des compagnies maritimes transatlantiques, assécha des marais, édifia des ponts, des routes et des ports. Sous la direction personnelle de Napoléon III, le baron Haussmann reconstruisit Paris, perçant de larges boulevards et en faisant la plus belle ville d'Europe, lui donnant l'apparence qu'elle a encore aujourd'hui.

Dans la capitale, la vie n'avait jamais été aussi gaie et aussi brillante. Le théâtre abordait une période de renaissance et Sarah Bernhardt commençait sa carrière; les œuvres de Gounod tenaient la scène du nouvel opéra et la musique d'Offenbach emplissait les théâtres qui jouaient ses opérettes. Les affaires de la capitale et de l'empire faisaient l'objet de discussions sans fin dans les colonnes de journaux et de revues ainsi que dans les cafés aux sièges de peluche rouge et

Entourée de ses échafaudages et dominant les rues étroites de Paris, la statue de la Liberté s'élève, presque terminée, dans l'atelier extérieur du sculpteur Frédéric Auguste Bartholdi qui travailla pendant dix ans sur ce monument de 50 mètres de haut. Commandée par un groupe de sympathisants français, en gage d'amitié à l'égard des États-Unis, la statue, dont le véritable nom est « la Liberté éclairant le monde », fut démontée et expédiée à New York. Là, elle fut remontée sur l'une des îles du port et officiellement inaugurée en 1886.

aux plafonds dorés qui s'étaient ouverts le long des nouveaux boulevards percés par Haussmann.

Mais, sous ce brillant et sous cette prospérité matérielle, le scepticisme philosophique s'installait. Deux générations s'étaient écoulées depuis 1789, et aucune n'avait rien connu qui ressemblât à la stabilité politique. La révolution de 1848 ne parut pas entraîner de conséquences durables. La bourgeoisie, comme précédemment, était devenue plus riche et le prolétariat plus pauvre. Les restrictions apportées à la liberté d'expression étaient plus sévères que jamais; la corruption du régime et les scandales financiers en matière de travaux publics sautaient aux yeux. « Le pays n'est plus qu'un vaste casino », remarquait sévèrement un historien en 1863. La croyance à la perfectabilité de l'homme, que la chute de la vieille monarchie avait développée, n'était plus si facile à défendre; l'humeur de la société avait viré au pessimisme.

C'est dans ce climat d'incertitude et de changement que Cézanne et les jeunes Impressionnistes commencèrent leur carrière. Ils apparurent à un moment où la peinture française était plus divisée dans ses buts et ses moyens d'expression qu'elle ne l'avait jamais été. La Révolution avait exercé sur l'art français une influence modificatrice aussi profonde que sur tous les autres aspects de la vie sociale et avait si bien brisé les traditions artistiques que les peintres du XIXᵉ siècle ne pouvaient trouver aucun langage esthétique commun. Dans ses critiques, Charles Baudelaire — il fut l'un des rares que Cézanne admirât — a résumé le problème en 1846 : « Nous avons besoin d'une école, écrivait-il, c'est-à-dire d'une foi. »

En réalité, ce dont les peintres souffraient n'était pas tant de l'absence d'une foi que des conflits entre fois opposées. Le premier apparut avant la Révolution, lorsque les grâces baroques, qui avaient prévalu pendant la plus grande partie du XVIIIᵉ siècle dans les œuvres d'hommes comme Watteau et Boucher laissèrent la place à un nouveau classicisme. Le fondateur de ce « Néo-Classicisme », selon l'expression employée plus tard, fut Jacques-Louis David, peintre engagé dans la Révolution et dont les œuvres, exécutées avec un réalisme presque sculptural, constituent des commentaires politiques de son temps.

Jean-Auguste-Dominique Ingres allait devenir, au XIXᵉ siècle, le disciple le plus fameux de David; il domina l'art français pendant les années 1840 et 1850. Selon Ingres et ses disciples, le Classicisme consistait à coucher sur la toile les scènes historiques et mythiques en stricte conformité avec les règles établies par les maîtres de la Renaissance. Les Néo-Classiques se tournèrent vers le passé pour apprendre à peindre ce qu'Ingres appelait « le type parfait de la silhouette humaine », le véritable drapé des tissus, la pose « classique » équilibrée. Bien qu'il leur ait plu de se considérer comme des héritiers de l'esprit humaniste de la Grèce et de Rome, ils semblent avoir été plus intéressés par les recettes classiques de la peinture que par les valeurs classiques de l'individualisme et du naturalisme. Leur classicisme était plus de forme que de fond.

Les peintres néo-classiques tiraient, à l'occasion, leur inspiration de l'Antiquité et en faisaient des paraboles appliquées à la vie de leur temps; rarement ont-ils peint des scènes contemporaines. « Nous préférons », écrivait le critique Paul de Saint-Victor, les « bosquets sacrés où courent les faunes à la forêt où travaillent les bûcherons;

Sarah Bernhardt était l'étoile du Théâtre français à la fin du XIXᵉ siècle. Elle avait fait ses débuts sur les scènes parisiennes en 1862, un an après que Cézanne, jeune provincial, y fut venu pour la première fois. La « divine Sarah » déployait autant de talent dans la comédie que dans le drame. Ses amours furent nombreuses et célèbres; elle trouva aussi le temps de tâter de la sculpture et de la poésie. Sur la photo ci-dessus, on la voit, âgée de trente-six ans, portant une robe brodée de perles dessinée par elle-même.

Parmi ses précurseurs, c'est à Delacroix que Cézanne portait la plus grande admiration. Jeune artiste cherchant sa voie, puis peintre célèbre, il fit des copies et des adaptations nombreuses des œuvres de Delacroix. En reproduisant *le Lever (ci-dessus)*, Cézanne ajouta la silhouette d'un serviteur et manifesta sa façon de peindre à coups de pinceau puissants.

les sources grecques où se baignent les nymphes aux étangs de Flandre où barbotent des canards; le pâtre à demi nu... au paysan, pipe au bec. »

La peinture néo-classique reposait plus sur le dessin — Ingres y était passé maître — que sur la couleur. Dans un aphorisme fameux, Ingres soutient avec insistance que « même la fumée doit être rendue par le dessin »; la couleur, pour lui, ne faisait qu'ajouter un « ornement à la peinture. » En fin de compte, les peintres du Néo-Classicisme en arrivèrent à un style d'une imitation si servile que, dès 1848, un critique dénonçait « l'imitation précise de détails sans intérêt. » Le public voulait une illusion d'optique — des fleurs qu'il puisse presque sentir, des fruits qu'il puisse presque goûter — et c'est ce qu'il trouvait sur les toiles des Néo-Classiques.

Bien que cette opinion eût dominé l'art du début du XIXe siècle, elle était de plus en plus contestée de bien des côtés. Pendant le second quart du siècle, apparut une réaction romantique qui fit glisser l'art du domaine social au domaine individuel, en soutenant que la forme créée était moins importante que les sentiments et la personnalité de l'homme qui la créait. Eugène Delacroix fut le peintre le plus touché par cette rébellion romantique. Héritier des grands maîtres de la couleur — Titien, Véronèse, Le Tintoret, Rubens —, il soutint la prééminence de la couleur sur la ligne, se plaçant ainsi en conflit direct avec Ingres. Ce qu'il pensait de l'opinion de ce dernier en matière de dessin, il le formule ainsi, « Son art est l'expression complète d'une intelligence incomplète. »

Parce que Delacroix peignait à sa façon, à l'opposé des doctrines conventionnelles, il fut, pour la génération de Cézanne, un symbole de liberté dans la vie artistique. Pour Cézanne, son importance fut double : en premier lieu, il constitua un lien avec les maîtres coloristes du passé et, en second lieu, il apporta à Cézanne ce que celui-ci appelait un « soutien moral » — c'est-à-dire qu'il le confirma dans son opinion que la peinture était un moyen d'exprimer la personnalité.

Bien qu'il se défiât du style néo-classique, Delacroix utilisa dans nombre de ses peintures les thèmes historiques, mythiques et allégoriques qui avaient servi de guide au courant principal de l'art européen pendant des générations. Mais, pendant que le XIXe siècle s'écoulait, il devint évident que ses thèmes ne pourraient plus durer. Le style traditionnel de la peinture historique paraissait n'avoir plus grand-chose à apporter à une époque secouée par des révolutions politiques et industrielles. Le problème critique pour l'art était de trouver un sujet ayant un sens pour le monde de son temps.

La réponse la plus franche à ce besoin vint du mouvement réaliste. Les Réalistes assumaient que tous les sujets peuvent être traités avec art et qu'aucun sujet n'est intrinsèquement plus beau ou plus significatif qu'un autre; par goût, ils se limitaient la plupart du temps à des thèmes contemporains. Le mouvement eut pour fondateur et pour chef reconnu Gustave Courbet qui fut, de loin, le plus discuté des artistes français des années 1850. Il semblait exprimer le tempérament rebelle de tous les jeunes peintres qui tournaient en dérision ce qu'ils appelaient « l'art des académies ». La déclaration d'indépendance artistique est restée fameuse : « Moi aussi, proclama-t-il, je suis un gouvernement. »

Courbet rejeta les thèmes historiques et religieux et pressa les artistes de peindre le peuple de leur temps — pour « amener l'art en contact avec des gens sans aveu. » Ses « gens sans aveu », dans ses tableaux, sont souvent des paysans, et la façon dont il les a peints constitue un réquisitoire sévère contre la société existante.

Un concept aussi radical de la fonction de l'art avait de quoi effrayer les classes dirigeantes qui cherchaient à conserver le pouvoir politique et économique qu'elles avaient presque perdu au cours de la révolution de 1848. Le comte de Nieuwerkerke, surintendant des Beaux-Arts sous le Second Empire, exprimait plus qu'une répulsion personnelle lorsqu'il disait des œuvres de l'école réaliste : « C'est une peinture de démocrates, de gens qui ne changent pas de linge. Cet art me déplaît et me dégoûte. »

Il ne fallut pas longtemps avant qu'un peintre encore plus troublant vînt occuper le devant de la scène. Pour Édouard Manet, l'intérêt de la peinture était dans le tableau lui-même et non dans l'objet ou dans l'observation analytique. L'importance de Manet, que l'on a rattaché au Réalisme puis, plus tard, aux Impressionnistes, réside dans le fait qu'il rendit définitive la rupture, que Courbet avait dramatiquement annoncée, avec la peinture de scènes historiques. On a souvent fait entre les deux artistes une distinction utile en disant de Courbet qu'il était un Réaliste « objectif » et de Manet qu'il était un Réaliste « subjectif » : Courbet s'intéressait à l'objet en tant qu'objet tandis que Manet s'intéressait surtout à sa propre appréciation de l'objet. De ce point de vue, qui dépouille le sujet de tout message narratif et de connotation, on peut dire que Manet a été le premier peintre du XIXᵉ siècle à échapper complètement au passé. Vers les années 1860, il avait remplacé Courbet comme chef de toute l'école moderne et expérimentale.

Cette copie très libre de la *Baigneuse nue* de Courbet *(ci-dessus)* — Cézanne en a fait un baigneur — souligne la force massive de la silhouette. Le fragment ci-dessous est tout ce qui reste de l'original de Cézanne, qui fut en partie détruit lorsqu'on le détacha du mur du Jas de Bouffan sur lequel il était peint.

En 1861, lorsque Cézanne arriva à Paris pour étudier l'art, la peinture était, depuis quelques années, le champ clos de trois mouvements puissants, le Néo-Classicisme, le Romantisme et le Réalisme. La situation était encore rendue plus compliquée par le fait que l'art était, plus que jamais, placé sous le patronage des bourgeois.

Ceux-ci voyaient dans les œuvres d'art des symboles de leurs succès financiers mais n'y connaissaient pas grand-chose et se montraient résolument hostiles à ce qu'ils ne comprenaient pas. Leur préférence allait à de vastes toiles historiques dépeignant des scènes de terreur, de carnage, de tortures et de mort violente (un sujet qu'ils aimaient, par exemple, s'intitulait *Une femme attachée à l'arbre auquel son mari a été pendu par ordre du Bâtard de Vanves, gouverneur de Meaux au XVᵉ siècle, dévorée par les loups)* ; à des nudités roses et blanches ou à des scènes familiales au sirop d'orgeat telles *les Premières caresses, les Amies de grand-mère* ou *les Prunes au sucre du baptême.*

Dans ces goûts, le public bourgeois se contentait de suivre ceux de l' « Ordre établi » artistique de l'époque, très puissant et conservateur. Le noyau de cet « Ordre établi » était constitué par l'Académie des Beaux-Arts à laquelle appartenaient la plupart des peintres français connaissant un vrai succès commercial. Presque tous avaient été formés soit au style néo-classique, soit au style romantique adouci; ils menaient à leur guise tous les débats sur l'art. Membres de l'Académie, ils choisissaient les peintres dont les tableaux seraient achetés par l'État, ceux qui en recevraient des commandes pour des décorations murales, et ceux qui seraient admis dans l'institution officielle d'enseignement de l'Académie, l'École des Beaux-Arts.

C'est au comte de Nieuwerkerke,
aristocrate glacial dont Ingres dessina
l'élégant croquis ci-dessus,
que Cézanne écrivit deux lettres —
la première polie, la seconde en
colère — pour protester contre son
exclusion du Salon de 1866.
Surintendant des Beaux-Arts, le
comte aurait probablement pu
intercéder en faveur de Cézanne,
mais il ne le fit pas et
ne répondit pas non plus, semble-t-il,
aux lettres que le peintre lui adressa.
Cézanne dut attendre 1882 avant
que l'une de ses peintures soit
acceptée au Salon.

Ce sont eux aussi qui choisissaient les peintures que l'on accrochait aux cimaises du Salon organisé par l'Académie, cette exposition patronnée par le gouvernement et qui jouait un rôle de premier plan dans la formation du goût du public. Dans les années qui suivirent sa création, au XVIIIe siècle, le salon officiel avait exercé une excellente influence sur la peinture française, stimulant l'intérêt à l'égard de l'art et donnant à de jeunes peintres une chance de faire connaître leurs tableaux. Mais son fonctionnement devint de moins en moins bon au cours du XIXe siècle, lorsque l'art et l'État n'eurent plus les mêmes intérêts.

Le Salon que connut la génération de Cézanne avait atteint des proportions déraisonnables. Entre 1806 et 1848, le nombre des tableaux exposés était passé de 707 à 5 180. En outre, il s'était détérioré au point de n'être plus que la vitrine des peintres académiques; le souci principal des membres du jury était d'assurer la représentation de leurs élèves et d'empêcher l'admission de peintures s'écartant des formules enseignées à l'Académie. L'originalité était la faute suprême et les œuvres stéréotypées du Salon n'avaient aucun rapport avec les courants intellectuels de l'époque. C'était, selon la description satirique du poète Fernand Desnoyers, «Un pandemonium de temples grecs, de lyres et de harpes juives, d'alhambras et de chênes poitrinaires, de sonnets, odes, dagues et hamadryades au clair de lune. »

Rejeter ce style officiel — comme le firent les Réalistes et, plus tard, Cézanne et les Impressionnistes — était aller au-devant de la moquerie et d'une vie matérielle difficile. Un peintre dont les œuvres n'étaient pas accrochées au Salon officiel n'avait que peu d'espoir de faire carrière. Le public, incertain de son propre goût, n'acceptait pas, en général, d'acheter des toiles refusées par le Salon; certains acquéreurs allaient même jusqu'à demander et obtenir d'être remboursés si les toiles payées par eux se trouvaient, contre toute attente, repoussées par le jury du Salon.

L'ouverture du fameux Salon des Refusés, en mai 1863, six mois après que Cézanne fut rentré à Paris venant d'Aix, constitua la première manifestation de révolte publique contre la tyrannie de l'Académie. Cette exposition décidée par Napoléon III avait pour but de répondre à l'agitation croissante des cercles artistiques contre la politique restrictive du Salon officiel. Tous les artistes dont les œuvres avaient été refusées par le Salon de 1863 furent invités à montrer leurs œuvres au Palais de l'Industrie.

Le Salon des Refusés provoqua une explosion de fureur. Les critiques comme le public affirmèrent leur fidélité à l'Académie en qualifiant, sans hésiter, les peintures controversées d'œuvres d'incompétents ou de fous. En général, on traitait les toiles de mauvaises plaisanteries, ou pire. *Le Déjeuner sur l'herbe* de Manet fut l'objet d'attaques particulières. Son thème — une femme nue assise dans la campagne entourée de deux hommes habillés — choqua le Paris bourgeois et s'attira la rebuffade hargneuse des critiques. « Le nu lorsqu'il est peint par des hommes vulgaires, écrivit l'un d'eux, est inévitablement indécent. »

Cézanne, lui aussi, exposa aux Refusés, mais les titres, le nombre et la nature de ses œuvres ne nous sont pas connus et, apparemment, n'attirèrent que peu d'attention. L'exposition servit, cependant, à accroître l'admiration de Cézanne pour l'œuvre de Manet et à lui faire connaître ses contemporains réfractaires à la peinture académique. Pour ces jeunes artistes, l'échec retentissant de l'exposition eut un effet salutaire; elle cimenta leur union et renforça leurs convictions révolutionnaires.

Nombre de ces artistes rebelles fréquentaient le café Guerbois, dans le quartier des Batignolles, dont le nom resta à leur groupe. C'est Manet qui fit connaître le café Guerbois aux jeunes artistes et c'est lui qui fit vite fonction de maître à penser du groupe des Batignolles qui s'y réunissait l'après-midi. Le livre d'or des habitués du café constitue une sorte de palmarès du mouvement impressionniste. On y trouve Camille Pissarro, de deux ans plus âgé que Manet mais qui ne s'était mis sérieusement à la peinture que passé vingt ans; il était natif de l'île de Saint-Thomas, dans les Antilles danoises. On le voyait souvent au café Guerbois en compagnie de Claude Monet qui venait de faire deux ans de service militaire à Alger. Parmi les plus jeunes, il y avait Armand Guillaumin, qui gagnait sa vie en travaillant comme terrassier trois nuits par semaine aux Ponts et Chaussées; Frédéric Bazille, rejeton d'une famille de riches viticulteurs, qui peignait tout en faisant ses études de médecine; Pierre Auguste Renoir, fils d'un tailleur, qui étudiait à l'école des Beaux-Arts; et Alfred Sisley, fils d'un opulent importateur de soieries anglaises à Paris, qui avait refusé une situation dans l'affaire familiale pour embrasser la carrière de peintre. L'autorité de Manet sur le groupe était souvent mise en cause par Edgar Degas, jeune aristocrate spirituel et irrévérencieux, que la fréquentation, très jeune, du Louvre et des plus belles collections privées de Paris avait doté du goût peut-être le plus sûr de tous ses contemporains.

Cézanne trouvait difficilement sa place dans cette joyeuse société. Beaucoup plus tard, Monet évoquait la négligence de son vêtement — en hiver il portait un vieux chapeau noir cabossé et un pardessus sans forme verdi par l'âge —, la vulgarité de son langage et la rudesse de ses manières. Lorsqu'il rencontrait les autres au café Guerbois, il relevait avec ostentation ses pantalons en tire-bouchon puis allait serrer les mains de tous, en omettant Manet dont la mise élégante et la distinction lui déplaisaient. « Je ne vous serre pas la main, Monsieur Manet, disait-il en parlant du nez et en forçant son accent provençal, je ne me suis pas lavé depuis une semaine. » Si Cézanne décidait de rester au café, rappelle encore Monet, il s'asseyait à l'écart des autres, ruminant ses pensées, ne prenant aucune part à la conversation tant que quelqu'un n'exprimait pas une opinion avec laquelle il fût en désaccord. Alors, il se levait brusquement et s'en allait sans dire un mot. A un ami artiste qui ne fréquentait pas le groupe, il confia plus tard cette opinion sur les habitués du Guerbois : « C'est un beau tas de bâtards; ils s'habillent avec une élégance d'avocats! »

Cézanne lui-même, à cette époque, bien qu'il ne fît qu'approcher la trentaine, avait l'air de friser la cinquantaine. Les photographies que nous possédons de lui montrent qu'il paraissait plus vieux que son âge, en partie à cause d'une calvitie précoce. Monet et la plupart des autres attribuaient l'expansivité de ses manières au désir de choquer. Mais Zola, se souvenant de leur jeunesse commune, voyait dans celle-ci « la rage froide d'une âme tendre et exquise qui doute d'elle-même et rêve de se salir.» Au cours de ses périodes dépressives, Cézanne se retirait souvent dans son atelier, fermant sa porte à tous. Périodiquement, pendant les premières années de sa vie à Paris, il disparaissait ainsi pendant plusieurs semaines.

Il travaillait avec régularité et beaucoup de concentration. Il passait ses matinées à dessiner des nus à l'Atelier Suisse, ses après-midi à travailler au Louvre ou dans son atelier — où il vivait, selon les souvenirs de Zola, au milieu d'un fouillis de vieux tubes de peinture, de toiles abandonnées et d'assiettes sales. Le soir, de sept à dix heures, il dessinait à nouveau à l'Atelier Suisse. Pendant un temps, il se joignit à un groupe d'amis, pour la plupart originaires d'Aix, qui se réunissaient le jeudi soir dans l'appartement de Zola pour discuter de poésie et de peinture ; de temps à autre, il voyait un peu Monet, Renoir et Pissarro, les trois peintres, parmi ses contemporains, avec lesquels il se sentait le plus à l'aise.

Cézanne courait après la renommée et peignait furieusement pour l'atteindre. Mais il semblait aussi la repousser malgré lui. Un jour, il traita les juges du Salon « d'idiots, de bâtards et d'eunuques » et il dit à Pissarro qu'il désirait « faire rougir l'Institut de rage et de désespoir. » Et il s'y efforça en donnant à ses toiles des titres saugrenus, par exemple *la Femme à la puce*, et en les soumettant à la dernière heure du dernier jour, les véhiculant parfois jusqu'à la porte dans une charrette à bras. Mû par des sentiments mêlés, Cézanne proposa chaque année, de 1865 à 1870, des toiles au Salon et les vit, chaque année, rejetées sans que l'on en fût surpris. Son œuvre, dit un jour un membre du jury de 1866, se présentait « comme si elle avait été peinte au pistolet. »

Les autres peintres du groupe des Batignolles avaient rarement plus de chance avec le jury, malgré les efforts qu'ils déployaient pour se faire apprécier et malgré les envolées littéraires de Zola en leur faveur. Zola écrivait alors dans *l'Événement* ; il reçut mission de couvrir le salon de 1866. Dans une remarque liminaire, il affirma son intention de mettre en cause le jury : « Je vais certainement contrarier beaucoup de monde, car je suis résolu à dire des vérités terribles et embarrassantes, mais je ressentirai une satisfaction intérieure profonde à me décharger de toute la rage accumulée dans ma poitrine. »

Et il le fit si bien qu'il contraria beaucoup de monde et que tant de lettres indignées parvinrent au journal (« Améliorez un peu votre critique en la plaçant entre des mains qui ont été lavées », disait l'une d'entre elles) que *l'Événement* fut contraint d'abandonner la série après que huit seulement des dix-huit articles prévus eurent paru. Zola les fit immédiatement réimprimer sous la forme d'un pamphlet intitulé *Mon Salon* et dédié à Cézanne.

Zola se passionnait pour la cause du jeune peintre, mais son approche était surtout journalistique plutôt qu'esthétique. Et celui qui bénéficia le plus de la controverse qu'il animait fut sans doute Zola lui-même : sa critique d'art lui valut un début de renommée, ou du moins de notoriété.

Ce que les peintres essayaient de traduire par leur art, Zola le comprenait peu, et il était particulièrement surpris et désappointé par Cézanne. Il ne le loua jamais dans les articles de *l'Événement* et s'il lui dédia *Mon Salon*, ce fut en raison de leur longue amitié et non pour vanter ses œuvres.

Que Zola n'ait pas apprécié la peinture de Cézanne n'a rien pour surprendre. L'art de celui-ci confondait la plupart des gens, y compris de nombreux peintres techniquement mieux préparés que Zola à en comprendre la valeur. En réalité, personne ne reconnut le génie de Cézanne à cette époque et, une fois de plus, Paris, où le succès était si dur à trouver, le renvoya à ses dépressions. Il décida de retourner de temps à autre en Provence, se fixant ainsi un modèle d'existence qu'il devait suivre jusqu'aux dernières années de sa vie : une partie de l'année à Paris ou aux environs, une partie dans le Midi, où il habitait en général avec sa famille, au Jas de Bouffan.

Là, dans son atelier, Cézanne peignait des portraits d'amis et de membres de sa famille — en particulier de son père et de son oncle Dominique Aubert, frère de Madame Cézanne et huissier à Aix. Peut-être parce qu'elle était trop timide pour poser, il ne fit jamais de véritables portraits de sa mère, bien que celle-ci ait été, croit-on, le modèle d'un dessin et d'une peinture *(pages 26-27)*.

Sachant ce que nous savons de la personnalité de Cézanne, il n'est pas surprenant de découvrir dans ses lettres et dans les rapports de ses amis que la peinture ne représentait pas pour lui une joie mais une contrainte. Il ne ressentait rien du bonheur sans mélange que Renoir trouvait dans son travail, et il ne connut pas non plus la « porte du paradis » que Matisse se rappelait avoir atteinte lorsqu'il saisit un pinceau pour la première fois. Tous les soirs, comme il l'écrivit à Zola, il ressentait « une noire dépression » l'envahir et, dans ses lettres, il parle sans cesse de son « apathie » et de sa « léthargie ». En réalité, rien n'est plus étrange dans l'étrange caractère de cette homme immensément prolifique que l'illusion toujours renaissante de n'avoir de véritable intérêt pour rien. « Pour moi, la vie commence à être d'une monotonie sépulcrale », écrivit-il un été à un ami. « Je peins pour me distraire. »

Cette distraction dura plus de quarante ans et, au cours d'une longue carrière, son art subit une transformation si profonde que, parfois, il est difficile de voir dans le jeune rebelle venu de Provence les marques du grand peintre qu'il allait devenir. « Dans toute l'histoire de l'art », écrit l'historien René Huyghe, « rarement y eut-il un peintre dont le premier style diffère autant de celui de la maturité. »

Si, aujourd'hui, nous regardons la carrière de Cézanne, nous constatons qu'elle a comporté quatre étapes distinctes, bien qu'il ne soit pas possible de déterminer avec précision lorsqu'une étape s'est achevée pour laisser place à la suivante. Toute sa vie, Cézanne est revenu à des formes et à des méthodes antérieures et a juxtaposé au sein d'un même tableau des techniques chronologiquement différentes. Cézanne signait et datait rarement ses œuvres; il peinait sur elles pendant de longues périodes, les abandonnant souvent pour y revenir de nombreux mois plus tard. Les dates que leur assignent les historiens demeurent souvent, quels que soient les soins apportés par ceux-ci, du domaine de la conjecture. Néanmoins, on peut dire que l'œuvre de Cézanne est passée d'un stade émotionnel à un autre marqué par les techniques et les théories impressionnistes de la couleur; que vint ensuite le développement du style de la maturité que le critique Lionello Venturi qualifie de « constructif »; qu'enfin éclot une période de synthèse pendant laquelle la peinture, incorporant des éléments de tous les styles précédents, se montre plus libre et plus proche de l'abstrait.

Au cours de la première étape, qui dura jusqu'au début des années 1870, Cézanne tâtonnait pour trouver un moyen d'exprimer ses troubles intérieurs. Il cherchait non seulement une technique, mais

Au cours des années, l'active imagination de Cézanne tira profit de sources nombreuses. On peut voir ci-dessous une œuvre de jeunesse, adaptation d'une gravure de mode *(ci-dessus)* ayant paru dans *l'Illustrateur des Dames*, revue que lisaient ses sœurs. Dans sa version, Cézanne a peint ses sœurs Marie et Rose dans les mêmes poses que les femmes de la gravure, mais il a ajouté deux de ses amis, au fond, pour augmenter l'intérêt de la scène.

un sujet, et la tâche n'était pas facile. Certes, il rejetait « l'art des académies » et les conventions de la peinture historique, mais il avait un fort biais littéraire et se sentait obligé de confier à ses toiles les fantaisies passionnées de son adolescence poétique. Déchiré entre les vieux maîtres, les Réalistes et ce qu'il connaissait de la tradition romantique, mal à l'aise dans ses sentiments et peu sûr de sa technique, il mit du temps à trouver son chemin, s'arrêtant et repartant chargé de pressentiments, comme il le fit pendant toute sa carrière.

« Je suis l'un de ceux qui vivent intensément », confia-t-il un jour à un ami, et ses premières compositions démontrent amplement ce qu'il voulait dire. Tandis que des contemporains comme Pissarro et Monet brossaient des scènes pastorales dans les environs de Paris, Cézanne peignait des tableaux érotiques et souvent violents *(pages 24-25)* qui étonnaient et troublaient ses amis. Certains des rêves qui le hantèrent pendant cette période apparaissent dans les titres donnés à ses toiles : *Le Viol, l'Orgie, la Femme étranglée, les Courtisanes, le Meurtre, la Tentation de saint Antoine, l'Autopsie, l'Enlèvement.*

Cézanne appliquait sa peinture avec véhémence, traçant d'un pinceau lourdement chargé des arêtes et des plaques épaisses, exagérant ombres et lumières, juxtaposant avec violence des zones de couleurs constrastantes. Il utilisait beaucoup de noir ainsi que divers bruns et rouges ternes qu'il aimait opposer à des verts plus légers, à des bleus et à des blancs gris. Sa faveur allait aux formes onduleuses et gonflées — nuages, arbres, draperies, collines et hanches.

Les résultats qu'il atteignit furent souvent décevants : ses personnages sont parfois maladroits et hors d'échelle tandis que l'espace est insuffisamment défini. La dépendance est trop marquée à l'égard de la narration et pas assez à l'égard de la forme. Il faut pourtant ajouter que les peintures, pleines de conviction et éclatantes d'énergie physique, révèlent l'intensité des émotions qui les ont inspirées.

Il semble que Cézanne ait essayé de vendre certains de ses premiers tableaux, mais sans succès. Une lettre qu'Antoine Valabrègue, poète ami de Cézanne, écrivit à Zola en janvier 1867, révèle que vers cette époque, le peintre envoya une œuvre non identifiée à un marchand de Marseille : « Cela a fait beaucoup de bruit », écrivait Valabrègue. « Les gens s'amassaient dans la rue. Ils étaient surpris. Certains entraient pour demander qui était Paul. De ce point de vue, il y a eu un certain succès dû à la curiosité. Cependant, je crois que si l'on avait exposé le tableau plus longtemps, la foule aurait fini par briser la vitrine et détruire la toile. »

Si l'on considère, aujourd'hui, l'extravagance et la violence des premières compositions de Cézanne, on comprend facilement pourquoi Roger Fry, au cours des années 1820, l'appelait « le premier sauvage de l'art moderne. » En réalité, le Cézanne de cette époque luttait pour surmonter le tempérament « sauvage » de ses jeunes années, pour le soumettre à une discipline plus objective.

Lorsque Cézanne l'observateur réussit à dominer Cézanne le visionnaire, il fit preuve d'une prédilection marquée pour la ligne droite par rapport à la courbe baroque et pour une forme austère, presque architecturale. De cette veine est la remarquable série des portraits de l'oncle Dominique *(page 27)* peints entre 1865 et 1867.

Ce qui frappe immédiatement est l'apparente distorsion entre l'agitation exprimée par les surfaces au pigment épais et la volonté évidente de stabilité et d'ordre, dans les formes d'une extrême simplicité. Et, pourtant, cette distorsion est à l'origine de la force de celles-ci. Travaillant rapidement au couteau, Cézanne parvint dans les meilleurs tableaux de la série à un effet, caractéristique de ses œuvres ultérieures, de tension immense et de retenue.

On trouve les mêmes éléments dans le portrait audacieux qu'il fit de son ami bossu, *Achille Emperaire (page 28)*, probablement en 1868. Contre la tapisserie à fleurs d'un fauteuil à dossier haut — qui apparaît aussi dans un portrait de son père *(page 21)* et dans *Jeune fille au piano (pages 26-27)* —, Cézanne montrait son personnage assis de face, dans une attitude d'extrême simplicité. La symétrie rigide de la pose n'est allégée que par la position des mains et par la légère inclinaison de la tête qui semble rapetisser le corps chétif. Pour ce qui concerne l'emploi vibrant de la couleur et la sévérité architecturale de la composition, il n'existe aucun précédent de l'époque de Cézanne. A la vérité, *Achille Emperaire*, qui fut refusé au Salon de 1870 — et se trouve aujourd'hui au Louvre — donne aux œuvres des contemporains de Cézanne une apparence conventionnelle.

Ni les natures mortes ni les paysages n'avaient encore préoccupé Cézanne comme ils le firent plus tard, mais il produisit néanmoins d'excellents exemples de ces deux genres au cours de ses premières années. Sans conteste, la nature morte la mieux réussie de cette période est *la Pendule noire (pages 30-31)*, que Cézanne offrit à Zola. Par sa stabilité, la solidité de ses formes, ses répétitions rythmiques, le tableau apporte la preuve d'une modification délibérée dans la méthode de Cézanne. Les objets ont été choisis avec soin et leur composition soigneusement équilibrée bien que l'épaisseur de la peinture, le désordre de la serviette, les formes singulières du vase et du coquillage évoquent encore la personnalité véhémente de l'artiste.

Dans un paysage appelé *la Tranchée du chemin de fer*, Cézanne démontre à quel point il a réussi à maîtriser son tempérament. L'impétuosité et l'abandon ont été remplacés en partie par la réflexion, le calcul et la discipline. Le paysage est vu depuis le jardin du Jas de Bouffan : le mur de celui-ci s'étend comme une barrière à travers tout le tableau; à mi-distance, la voie de chemin de fer et, dans le lointain, la montagne Sainte-Victoire. Cézanne a simplifié la scène, soulignant ses rythmes horizontaux au premier plan, le mur et l'horizon, équilibrant quelques formes larges l'une par l'autre, modifiant ses effets de lumière pour donner une égalité de couleur à toute la toile. L'impression de désolation que donne la scène découle autant d'une technique propre à Cézanne — la couleur voilée, l'isolement des formes dans l'espace — que du sujet. A cet égard, le tableau préfigure les grands paysages à venir.

Toutes les toiles peintes par Cézanne au cours de cette époque ne font pas preuve du même progrès. Elles varient beaucoup en qualité, en style et en degré de dépendance à l'égard des autres peintres. Pourtant, elles donnent toutes une impression que Renoir, de nombreuses années plus tard, appelait la puissance « crue et admirable » de Cézanne.

Dans des œuvres telles que *la Tranchée du chemin de fer* et *la Pendule noire*, l'artiste a montré qu'il avait enfin réussi à maîtriser sa turbulence créatrice pour façonner les rudiments d'un langage artistique bien à lui. Sa peinture — et sa vie personnelle, par coïncidence — allait prendre un cours nouveau.

Des temps troublés

La France du temps de Cézanne vivait dans un bouillonnement qui s'étendait à tous les domaines de l'existence. Sur le plan politique, la nation passait d'une façon dramatique de la république à la dictature et de nouveau à la république. En 1852, Louis-Napoléon Bonaparte, président de la Seconde République, prenait le titre d'Empereur. C'était, sous bien des rapports, un despote éclairé et son règne apporta la prospérité au pays. Il construisit un réseau de chemins de fer étendu, il remodela Paris grâce à de larges boulevards et à de vastes places, il organisa des expositions internationales pour mettre en valeur les remarquables réalisations de la science et de la technique. Le monde artistique connaissait lui aussi une période faste sous l'impulsion de personnalités telles qu'Offenbach et Gounod pour la musique, Flaubert, Mérimée et George Sand pour le roman, Delacroix, Ingres, Daumier, Courbet, et le révolutionnaire Manet pour la peinture.

Mais le règne de Louis-Napoléon s'acheva par un désastre, en 1870, lorsqu'il déclara la guerre à la Prusse et subit l'humiliation d'une défaite rapide. Il s'ensuivit une période quasi anarchique. Lorsque la paix revint, le nouveau gouvernement républicain dut s'accommoder de l'instabilité politique et d'éclatants scandales à l'intérieur comme à l'étranger.

Bien que Cézanne eût vécu dans ce monde, il n'en fit jamais vraiment partie. Résidant la plupart du temps en province, il semble n'avoir pas été touché par les événements. Pourtant, il n'ignorait pas ce qui arrivait; il dit un jour, « Je ne comprends pas le monde. C'est pourquoi je m'en suis retiré. »

Casquée et tirant l'épée, une figure allégorique représentant la France veille sur les blessés et les morts, dans un tableau contemporain de la guerre de 1870. L'œuvre est due à Ernest Meissonier qui servit dans l'armée active comme beaucoup d'autres artistes français.

Ernest Meissonier, *Le Siège de Paris*, 1

Louis-Napoléon perdit à la fois la guerre et son trône.

Otto von Bismarck conduisit les Prussiens à la victoire.

L'illustration ci-dessus, parue dans une revue pendant le siège de Paris, montre l'étal d'un boucher offrant de la viande de chien et de chat, ainsi que des rats, à sa clientèle.

Au cours de l'été 1870, l'empereur Louis-Napoléon, craignant la puissance croissante de la Prusse sous la conduite de Bismarck, déclara la guerre à celle-ci. Cézanne se réfugia à Aix pour éviter la conscription, mais la plupart des Français accueillirent la guerre avec allégresse : les rues de Paris résonnaient de « Vive la Guerre ». Cependant, les Français étaient mal préparés et, en un peu plus d'un mois à peine, Louis-Napoléon était vaincu et contraint de déposer les armes à Sedan. Lorsque la désastreuse nouvelle atteignit Paris, la foule envahit la Chambre des Députés, proclama la Troisième République et décida de défendre Paris contre les Prussiens. Il en fut bien ainsi mais, au bout de cinq mois de siège *(ci-dessous)*, le peuple mourant de faim en était réduit à manger des chats et des rats *(ci-dessous, à gauche)*. Et la France, épuisée, dut accepter les conditions de Bismarck. Malgré cette humiliation, le pays retrouva vite son ancienne prospérité.

Un soldat français agite le drapeau blanc de la reddition, à Sedan.

Pendant le siège de Paris, 236 000 soldats prussiens bombardèrent la ville, mais civils et soldats firent de celle-ci une forteresse qui tint l'ennemi en échec près de six mois.

48

Symbolisant la prospérité de la France d'après-guerre, le lacis métallique de la Tour Eiffel veillait, de ses 300 mètres de haut, sur l'Exposition de 1889 *(à gauche, ci-dessous)*. Son promoteur, Gustave Eiffel *(debout, sur la plate-forme intérieure, à droite)*, ingénieur, fut le pionnier de l'utilisation du fer dans la construction des ponts avant de contribuer au progrès d'une science nouvelle, l'aérodynamique. Il fallut quatre ans d'étude et plus de deux ans de travaux pour élever la tour au faîte de sa gloire *(à gauche)*. Eiffel vouait apparemment à cette flèche métallique la même affection qu'à ses enfants — il travailla de nombreuses années dans un appartement qu'il s'était aménagé au sommet.

Bien que pareilles expositions aient eu la technologie pour point focal, elles ne manquaient pas, cependant, de faire appel aux Beaux-Arts. Celle de 1889 présentait une toile de Cézanne, *la Maison du Pendu (page 66)*. Mais sa présence n'était due qu'à l'insistance de l'un de ses clients, Victor Chocquet, qui refusa d'exposer des meubles de valeur si l'on n'acceptait pas une peinture de son ami. Celle-ci fut accrochée si haut qu'il était presque impossible de la voir et, pour ce que nous en savons, Cézanne ne prit jamais la peine d'aller la regarder.

Une caricature ridiculise le souci de Zola
pour le détail.

La grande personnalité littéraire du temps de Cézanne était son ami d'enfance, Émile Zola. Par l'une de ces étranges coïncidences de l'histoire, les deux hommes venus de la même petite ville provoquèrent la fureur des milieux artistiques, chacun dans son domaine, bien qu'ils eussent, pendant des années, lutté dans l'obscurité. La réussite vint d'abord pour Zola. Comme dans le cas de Cézanne, on l'avait condamné pour sa recherche d'une nouvelle méthode d'expression, le naturalisme, interprétation terre-à-terre de l'existence qui n'omettait aucun détail sordide et mettait en lumière certaines aberrations de la personnalité humaine. Le public, et en particulier la presse, réagirent avec horreur aux écrits de Zola. *L'Assommoir*, son premier roman à succès, racontait la déchéance d'une blanchisseuse; la presse s'écria, « une calomnie sur la France... un tas d'ordures à ne prendre

Avant de devenir célèbre et gras, Zola a posé pour la photographie ci-dessus entre
son éditeur et son illustrateur.

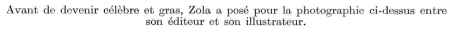

qu'avec des pincettes... Littérature de balayeurs de ruisseaux. »
Les journaux publiaient des caricatures, comme celle de
gauche, ridiculisant son style naturaliste. « Ce n'était
plus de la critique, rappelait Zola, c'était un massacre. »
Pourtant, le livre se vendit à cent mille exemplaires en
quelques mois. De la même veine, *Nana*, l'histoire d'une
prostituée, subit des injures pires encore mais fut un
énorme succès financier. Avec ses droits d'auteur, Zola
décora somptueusement la maison de campagne qu'il
avait achetée à Médan. Là, il aimait recevoir ses amis du
monde artistique ou littéraire. Cézanne s'y montra
fréquemment jusqu'en 1885, puis cessa complètement d'y
venir, déclarant que la vie « bourgeoise » de Zola le
dégoûtait. Passé juillet de cette année, les deux hommes
ne se revirent plus et, neuf mois plus tard, cessèrent de
s'écrire.

Nana, déesse s'élevant d'une écuelle
de bouillon.

A Médan, Zola travaille assis dernière l'énorme bureau de bois sculpté qui, selon Cézanne, lui donnait
l'air d'un ministre pompeux.

Dreyfus, photographié ci-dessus avant son procès, était un officier modèle.

Le 22 décembre 1894 se produisait un événement qui allait provoquer l'explosion d'antagonismes bouillonnants dans la France du dix-neuvième siècle finissant, divisant la nation en deux camps ennemis. Le capitaine Alfred Dreyfus, seul officier juif de l'état-major général, fut accusé d'avoir vendu des secrets militaires aux Allemands. Bien que les charges retenues contre lui eussent été ridiculement minces et fabriquées, il fut condamné à la déportation à perpétuité dans l'île du Diable. Quatre ans plus tard, sa famille et ses amis apportèrent la preuve que le commandant Esterhazy était le véritable traître. Sous la pression des faits et désireux de réfuter l'accusation d'antisémitisme, l'état-major général, de connivence, accepta de juger Esterhazy, l'assurant qu'il serait acquitté, ce qui arriva. Dreyfus resta donc à l'île du Diable. Les intellectuels libéraux français enragèrent : Zola publia une lettre au vitriol de vingt pages, *J'accuse (à droite)*, adressée au président de la République, affirmant l'innocence de Dreyfus et donnant le nom des coupables Toute la nation s'enflamma. La question n'était plus de savoir si Dreyfus était innocent, on était en pleine affaire politique, militaire et religieuse. De nombreux artistes prirent parti pour Dreyfus, mais Cézanne, vivant en Provence, s'allia aux conservateurs anti dreyfusards. L'affaire trouva son épilogue en 1906, lorsque Dreyfus fut innocenté.

Le dos raide, Dreyfus, se tient debout, dans le box, pendant son premier procès. Les preuves retenues contre lui consistaient principalement en expertises graphologiques incertaines.

Une caricature représente Zola transperçant
l'armée de sa plume.

La lettre de Zola au Président de la République fut publiée par
le journal libéral, l'Aurore.

Dreyfus — âgé, les cheveux blancs — revient triomphant à Paris, après sa libération.

III

L'apprentissage
tardif

En 1869, pendant l'un des séjours qu'il faisait périodiquement à Paris, Cézanne prit une maîtresse. Cette liaison eut beaucoup d'importance pour lui parce que c'était la première fois qu'il nouait des rapports — quels qu'ils fussent — sérieux avec une femme, et parce que ces rapports allaient durer le restant de sa vie.

La jeune femme s'appelait Marie-Hortense Fiquet; elle avait dix-neuf ans, soit onze de moins que Cézanne. Elle était née dans le village de Saligneil, dans le Jura, mais était venue habiter Paris avec sa famille lorsqu'elle était encore enfant. En 1869, son père occupait un emploi modeste dans une banque et Hortense gagnait sa vie en travaillant dans un atelier de reliure. On a dit qu'elle augmentait son revenu en servant de modèle à l'occasion, mais il s'agit sans doute d'une légende créée pour expliquer sa rencontre avec Cézanne. A la vérité, on ne sait presque rien d'Hortense avant le moment où elle commença à vivre avec lui.

Cézanne a peint plus de quarante tableaux d'Hortense au cours des années *(pages 104-105)*, mais il a rarement cherché la ressemblance; aussi n'a-t-on pas d'elle une image très précise. On peut, cependant, en conclure que ce n'était pas une beauté. Elle avait les cheveux et les yeux noirs, un visage rectangulaire et la mâchoire forte, détail particulièrement visible sur les photos qui furent prises d'elle beaucoup plus tard.

Il ne reste rien de la correspondance entre Hortense et Cézanne, aussi faut-il nous en rapporter, pour connaître son caractère, aux récits et aux lettres des amis de l'artiste. En général, ils en parlaient avec dérision. Il semble qu'elle ait eu l'esprit grégaire alors que Cézanne aimait à s'isoler, qu'elle ait été conventionnellement « bourgeoise » alors qu'il était très excentrique. Elle ne s'intéressait pas aux deux choses qui absorbaient Cézanne — la littérature et la peinture. Lorsqu'elle avançait une opinion sur l'art en présence d'autres personnes, Cézanne la faisait taire en soulignant qu'elle « disait des bêtises. » Plus tard, il devait affirmer qu'elle ne s'intéressait « à rien sauf à la Suisse et à la citronnade »; ses amis l'appelaient « la Boule » peut-être parce qu'à leurs yeux elle constituait un poids intolérable qui entravait la liberté de Cézanne. Celui-ci partageait évidemment ce sentiment, car il passa une grande partie de sa vie loin d'elle, même après qu'il l'eut enfin épousée en 1886.

Assis dans le jardin de son ami Camille Pissarro, qui se tient debout à droite, Cézanne, ventru et prématurément chauve, paraît beaucoup plus que ses trente-huit ans sur cette photographie prise en 1877. Le patient et sympathique Pissarro fut l'un des premiers à reconnaître le génie de Cézanne. Il conseilla un jour à son fils Lucien (debout entre deux hommes non identifiés), « Si tu veux apprendre à peindre, regarde Cézanne. »

Ce que l'on cherche en vain à expliquer, cependant, est le lien émotionnel qui préserva ces curieux rapports pendant près de quarante ans. Trois ans après sa rencontre avec Cézanne, naquit leur fils unique, Paul, qui fut reconnu par son père. L'arrivée de cet enfant contribua très certainement au maintien de leur union, mais on pense également que l'inertie de Cézanne y fut pour quelque chose. Les amis de celui-ci semblaient croire que la dévotion d'Hortense avait pour origine les espérances pécuniaires du peintre. Pourtant, nous devons reconnaître l'existence d'une part d'affection réelle, du moins du côté de Cézanne, car dans la correspondance que, sur la fin de sa vie, il échangea avec son fils, il demande des nouvelles d'Hortense et s'inquiète de sa santé. Quoiqu'il y ait eu entre eux, Cézanne lui resta attaché jusqu'à la fin de sa vie.

En juillet 1870, le gouvernement français déclara la guerre à la Prusse et jeta la France dans un tourbillon de préparatifs. Pour échapper au remue-ménage ainsi qu'à une mobilisation possible, Cézanne et Hortense quittèrent Paris pour l'Estaque, petit port méditerranéen où d'importantes manufactures de tuiles exploitaient d'abondants dépôts d'argile fine. Aix n'était qu'à une trentaine de kilomètres à l'intérieur, et il semble que la mère de Cézanne ait possédé une petite maison de vacances à l'Estaque. Il est donc naturel que Cézanne y ait trouvé refuge. La répugnance de celui-ci à servir dans l'armée, si elle s'accorde parfaitement avec le détachement qu'il manifestait à l'égard des affaires de son temps, était partagée par de nombreux Français au cours de ce chaotique été de 1870. La guerre était populaire dans certains milieux, mais pas dans d'autres, et le pays y était en outre très mal préparé. L'armée manquait d'uniformes, de munitions et de vivres; l'état-major ne possédait pas de cartes des frontières; les soldats recevaient leur ordre d'affectation pour des unités qui n'existaient pas.

Dans ces conditions, Cézanne, comme tous ceux qui le désiraient, pouvait échapper sans difficulté au recrutement. La gendarmerie ne se rendit qu'une fois au Jas de Bouffan dans l'intention d'informer Cézanne de la conscription. Sa mère affirma aux gendarmes que son fils était parti depuis quelques jours et qu'elle lui ferait part de leur visite dès qu'elle saurait où il s'était fixé. La recherche dont il était l'objet, si l'on peut même parler de recherche, ne fut guère sérieuse car il vécut tout le reste de la guerre à l'Estaque, sans faire l'objet de poursuites.

S'il avait des craintes, c'était dans un autre domaine : il avait peur de son père à qui il cachait l'existence d'Hortense. Louis-Auguste vieillissant était de plus en plus obsédé par l'idée que des voleurs convoitaient sa fortune; aussi n'aurait-il pas manqué d'inclure dans cette catégorie toute aventurière liée à son fils. Cézanne semblait redouter que la découverte de sa liaison ne servît de prétexte, pour son père, à réduire, voire à supprimer, la pension qu'il lui allouait — crainte qui s'avéra justifiée lorsque son secret fut percé, huit ans plus tard.

Peu avant de quitter Paris pour l'Estaque, Cézanne avait servi de témoin, en mai 1870, au mariage de Zola avec Alexandrine Meley. Celle-ci, qui avait été vendeuse chez une fleuriste à Paris, était la maîtresse de Zola depuis cinq ou six ans. Zola, à cette époque, avait commencé une belle carrière littéraire sans pourtant atteindre encore la célébrité. En 1866, avec l'énergie qui le caractérisait, il avait écrit deux romans alimentaires mélo-dramatiques destinés à lui apporter

Comme Cézanne, qui échappa à la conscription, de nombreux Français étaient opposés ou indifférents à la guerre de 1870. Mais, après la désastreuse défaite de Napoléon III et la prise du pouvoir par un gouvernement républicain, des hommes comme Léon Gambetta, ministre de l'Intérieur et de la Guerre, tentèrent de susciter de nouveaux enthousiasmes. Sur la gravure ci-dessus, on voit Gambetta haranguant ses troupes, parmi lesquelles figurent les zouaves aux costumes exotiques. Malgré les efforts de Gambetta, la France fut obligée de capituler devant la Prusse.

les « deux choses dont j'ai besoin par-dessus tout — la publicité et l'argent. » Ses premiers efforts ne lui donnèrent ni l'une ni l'autre, mais les deux romans qui suivirent, *Thérèse Raquin* et *Madeleine Férat*, publiés en 1868, éveillèrent enfin un certain intérêt, indigné ou complice, parce qu'ils abordaient avec franchise l'exploration des causes et des conséquences de deux amours adultères.

En 1869, Zola s'attaqua à une longue série romanesque — à l'origine, il avait prévu dix titres mais la série en eut, en fin de compte, vingt — racontant l'histoire « naturelle et sociale » d'une famille sous le Second Empire. Il baptisa la famille, et la série, *les Rougon-Macquart*; il devait y travailler pendant vingt-quatre ans. Il y décrit Aix sous le nom de Plassans et beaucoup de ses vieux amis y apparaissent à peine déguisés, y compris, bien entendu, Cézanne.

Le premier roman de la série, *la Fortune des Rougon*, fut terminé en 1869 et sa parution sous forme de feuilleton commença dans le journal *le Siècle* au cours de l'été 1870 mais fut interrompue par la guerre. Zola, fils unique et seul soutien d'une veuve, fut exempté du service militaire; mais les armées prussiennes menaçant Paris, il craignit pour sa sécurité et celle de sa femme et partit pour Marseille, où il publia pendant quelque temps un journal qui ne connut aucun succès.

A quelques kilomètres de là, à l'Estaque, Cézanne s'absorbait chaque jour davantage à rendre les effets des couleurs et des formes, le long de la côte rocheuse et dans les collines arides derrière la ville. Dans les notes qu'il prenait pour son futur roman, *l'Œuvre*, Zola fit une description précise de l'Estaque et de ses environs, tels qu'ils apparaissaient à l'époque :

« Un village juste au-delà de Marseille, au centre d'une allée de rochers fermant la baie... Les bras de la roche s'étendent de chaque côté du golfe... et la mer n'est plus qu'un vaste bassin, un lac d'un bleu brillant lorsque le temps est beau. La côte... est bordée d'usines qui laissent échapper parfois de hauts panaches de fumée. Le village, le dos tourné aux montagnes, est traversé par des routes qui disparaissent dans un chaos de rochers... Rien n'égale la majesté sauvage de ces gorges percées entre les collines, de ces chemins étroits en lacis au fond d'un abîme, de ces pentes arides couvertes de pins et de murs couleur de rouille et de sang. Au sommet, passé la limite noire des pins, la bande infinie de la soie bleue du ciel. »

Cézanne devait interpréter ce paysage étonnant de façons bien différentes au cours de sa vie, mais la première fois qu'il le contempla en tant qu'artiste, en 1870, il se soucia de résoudre un problème qui le préoccupait fort à l'époque — comment rester fidèle à la fois à la nature et à ses sentiments. Il désirait peindre ce qu'il voyait, mais il voulait également décrire ses propres impressions. Il en était encore tantôt à laisser libre cours à son impétuosité, tantôt à se soumettre à la contrainte; il avait besoin d'une méthode lui permettant de représenter la nature avec fidélité et sensibilité.

Il n'est donc pas surprenant que, dans sa recherche d'une méthode, Cézanne se soit tourné vers ses vieux amis des Batignolles. Le groupe se demandait lui aussi comment rendre la nature avec exactitude. La plupart des peintres en étaient venus à considérer que leur art était devenu si conventionnel qu'ils en avaient perdu la faculté de « voir ». Pendant des générations, on avait peint des paysages en atelier, en utilisant des dessins réalisés en extérieur. Les contemporains rebelles

Édouard Manet

Bien que Cézanne connût
Manet et Degas, il se sentait
mal à l'aise face à ces hommes
élégants, spirituels et raffinés. Il
grommela un jour que Degas
manquait de « tripes » dans sa
peinture et dit que Manet « vomit
ses tons mais manque d'harmonie. »
Pourtant, l'admiration qu'il vouait
à l'*Olympia* de ce dernier
était telle qu'il déclarait,
« Notre renaissance date de là. »

Edgar Degas

de Cézanne se faisaient les avocats d'une technique bien différente —
celle de la peinture en plein air, en extérieur. Eugène Boudin s'y était
essayé dès 1850, mais cette technique était considérée comme particulièrement hardie lorsque Pissarro et Monet commencèrent à la pratiquer
vers le milieu des années 1860.

« Je me souviens », écrivait Pissarro bien des années plus tard, « que,
malgré mon ardeur, je n'avais pas la plus petite idée, même passé
quarante ans, de l'aspect profond du mouvement que nous pour-
suivions instinctivement. Il était dans l'air. »

Ce mouvement allait devenir l'Impressionnisme, et peu d'années
allaient s'écouler avant qu'il ne fût synonyme, dans l'esprit du public
et de la plupart des critiques, de tout ce qu'il y avait de dangereux, de
révolutionnaire, d'anti-académique dans l'art contemporain — en un
mot, de tout ce qui, en peinture, s'opposait à leurs vues.

Les Impressionnistes croyaient que les formes de la nature n'étaient
ni essentielles ni permanentes — qu'il s'agissait seulement d'impressions
de formes, sujettes à des modifications continuelles du fait des conditions changeantes de la lumière et de l'atmosphère. Le travail de
l'artiste consistait à rendre ces impressions. « On ne peint pas un
paysage, une marine, un personnage », disait Manet. « On peint une
impression à une heure de la journée. »

En conséquence, les Impressionnistes plantaient leur chevalet en
plein air et enregistraient les humeurs de la nature. Monet, Sisley
et Pissarro peignaient des scènes d'hiver aux environs de Paris,
essayant de fixer le jeu subtil de la couleur sur la neige. Également
fasciné par les effets de la lumière sur l'eau, Pissarro peignait la Marne
à Chennevières tandis que Monet et Sisley, en compagnie de Renoir
et de Manet, peignaient la Seine à Argenteuil. Monet travaillait dans
une barque spécialement aménagée. Bazille, Renoir et Monet étudiaient
les effets des rayons de soleil filtrant à travers le feuillage et se posant
en taches sur les nappes, les robes claires, les rochers, l'herbe, les visages,
les corps dénudés.

Lorsque les Impressionnistes plantaient leur chevalet dehors, ils
plaçaient sur leur palette des couleurs pures et brillantes qui prêtaient
un rayonnement et un chatoiement nouveau à leurs œuvres. Ils utilisaient des pigments mélangés qu'ils plaquaient sur leur toile à coups
brefs et nerveux pour traduire une partie de la multiplicité des effets
de couleur et de lumière existant dans la nature. Cette technique de
division ou juxtaposition des couleurs les conduisait à estomper
les lignes maîtresses, de sorte que les formes semblaient en partie se
dissoudre. Cette dissolution de la forme est particulièrement remarquable dans les tableaux de Monet *(page 65)*, bien que certains à
l'époque lui firent une réputation de caricaturiste — et l'on sait ce
que la caricature exige d'habileté dans le trait.

Bien que les Impressionnistes eussent été tournés en dérision
pendant de nombreuses années, les effets de leurs innovations techniques se firent vite sentir, même si on refuse de les admettre. Dès 1876,
un critique remarquait que les œuvres du Salon officiel devenaient plus
lumineuses et plus brillantes, ce qui traduisait l'influence de la palette
vivante des Impressionnistes. C'était — selon la remarque du collectionneur américain Duncan Phillips, plusieurs années plus tard —
comme si les Impressionnistes avaient ouvert une fenêtre pour permettre
à l'air et à la lumière du jour d'atteindre l'art du dix-neuvième siècle.

Avec la lumière, de nouveaux sujets apparurent : parties de bateaux, pique-niques, danses, monde du théâtre et monde du sport, jeunes filles en robes chatoyantes, baigneurs en maillots rayés et baigneuses nues, ponts et gares de chemins de fer, bords de rivières ombragés, rues de Paris pavoisées. C'était, dans l'ensemble, la vision qu'avait du monde un citadin des classes moyennes sachant trouver autour de lui de perpétuels sujets d'intérêt. Manet puisait une bonne part de son inspiration dans les distractions de la classe aisée qui fréquentait les Folies-Bergère et le jardin des Tuileries; Degas la trouvait sur les champs de courses ou parmi les corps de ballets, Renoir dans les visages et les silhouettes des Parisiennes qu'il peignait avec une telle vitalité, que Marcel Proust observait que l'on ne voyait plus de femmes dans les rues de Paris, mais des Renoir.

Cependant, au cours de l'automne de 1871, lorsque Cézanne revint à Paris après l'exil qu'il s'était imposé à l'Estaque, l'Impressionnisme « était dans l'air », sans plus. Ses zélateurs, vaguement connus sous le nom de groupe des Batignolles, commençaient tout juste à se retrouver après la dispersion due à la guerre. Pissarro et Monet s'étaient réfugiés à Londres. Renoir avait passé son temps de service à dresser des chevaux dans les Pyrénées. Manet et Degas étaient restés à Paris où ils avaient servi dans l'artillerie. Un seul membre du groupe des Batignolles ne survécut pas à la guerre. Frédéric Bazille qui s'était engagé au 3ᵉ régiment de Zouaves, célèbre pour la nature particulièrement difficile et dangereuse de ses missions, avait été tué au feu le 28 novembre 1870.

Parmi tous les peintres des Batignolles, c'est à Camille Pissarro que Cézanne demandait le plus volontiers conseil sur la façon de peindre des paysages. Non seulement Pissarro avait neuf ans de plus que lui et davantage d'expérience, mais c'était un professeur né et un critique sensible et tolérant. Il aida des dizaines de peintres à prendre un bon départ — y compris certains qu'il détestait franchement, Gauguin par exemple. Bien des années plus tard, Cézanne parlait encore de « l'humble et colossal Pissarro » avec une pointe de respect; « Pissarro fut pour moi comme un père... quelque chose comme le Bon Dieu. »

Il est évident que Cézanne avait, à l'époque, besoin de se tourner vers quelqu'un. En janvier 1872, la naissance de son fils Paul fut une source de complication nouvelle pour lui. Puisque le père de l'artiste ne savait rien d'Hortense, Cézanne ne pouvait décemment pas emmener le bébé à Aix; et Paris, comme d'habitude, lui portait sur les nerfs. Il était devenu si impatient et irritable qu'il s'était aliéné même les plus fidèles de ses amis. « Je l'ai trouvé abandonné de tous », écrivait Achille Emperaire après une malheureuse visite de quelques semaines chez Cézanne. « Il n'a plus un seul ami intelligent ou affectueux. »

Pissarro était peut-être le seul homme ayant assez de tolérance et de patience pour supporter les sautes d'humeur de l'artiste. Aussi, lorsqu'il offrit à Cézanne son hospitalité et son aide, celui-ci emmena-t-il avec joie Hortense et l'enfant chez Pissarro à Pontoise, dans la verte vallée de l'Oise. Là, et plus tard près d'Auvers, il entreprit ce que Roger Fry a appelé « son premier et seul apprentissage. »

A un homme dont les rapports sociaux étaient difficiles, Pontoise et ses environs offraient un hâvre de tranquillité. Pontoise était une ville d'une certaine importance, entourée de vergers, mais Auvers, où Cézanne s'établit au début de 1873, n'avait encore que les dimensions d'un village avec ses rues non pavées et ses maisons au toit de chaume. S'éten-

Claude Monet

Le comportement lunatique de Cézanne affectait tout le monde, même des peintres amis comme Monet et Renoir qu'il tournait en dérision ou louait selon les moments. Il reconnaissait à Renoir un « vaste talent » et pourtant ajoutait « je n'aime pas ses paysages; ils sont laineux ». Il accusa Monet un jour d'être « sournois », le considérant malgré tout comme « le plus grand de nous tous ».

Pierre-Auguste Renoir

dant le long de l'Oise et masqué, en partie, par les châtaigniers, Auvers s'appuyait sur une colline en pente douce du sommet de laquelle on pouvait apercevoir des champs de blé onduler à perte de vue.

C'est dans ce paysage idyllique que Cézanne et Pissarro travaillaient ensemble, vagabondant dans la campagne et peignant directement d'après nature. Pour Pissarro, la peinture de plein air était un article de foi, et il y apportait un zèle de missionnaire que traduit l'opulente barbe patriarcale qu'on lui voit sur les photos de l'époque. Les deux artistes — chaussés de lourdes bottes et coiffés de chapeaux de paille à larges bords — installaient leurs chevalets sur les routes et dans les prairies des environs de Pontoise, peignant parfois ensemble et parfois chacun de son côté, mais essayant toujours de reproduire avec exactitude ce qu'ils voyaient.

L'effet le plus immédiat du séjour de Cézanne à Auvers et à Pontoise fut de confirmer son goût pour les paysages et les natures mortes et de l'éloigner des sujets d'imagination. Certes, toute sa vie, il peignit à l'occasion des toiles traduisant ses visions intérieures mais, après le milieu des années soixante-dix, la réalité prit une part plus importante.

Lorsque les deux artistes travaillaient ensemble, Pissarro montrait à Cézanne que l'on pouvait parvenir à la forme par la couleur autant que par le trait; qu'il est important de noter les reflets que les couleurs jettent sur l'environnement; que l'on ne doit pas attaquer une toile par petits morceaux mais qu'il faut faire progresser toutes les parties en même temps. Pissarro éclairait et allégeait la palette de Cézanne et le pressait d'abandonner les lourdes couleurs de terres. «Peut-être descendons-nous tous de Pissarro», disait Cézanne quelques années plus tard. « Déjà, en 1865, il avait éliminé le noir, le bitume, la terre de Sienne et les ocres.»

Non seulement Pissarro fit connaître à Cézanne l'avantage des teintes lumineuses et brillantes mais il l'incita à utiliser davantage la technique impressionniste de juxtaposition ou de division, et des brefs coups de pinceau. Cézanne adopta l'une et les autres en y apportant des modifications. Bien qu'il revînt, occasionnellement, à sa première manière en étalant la peinture au couteau ou en balayant sa toile de larges coups de brosse, Cézanne commença à manifester une préférence pour les petits coups de pinceau qui allaient, en quelque sorte, devenir la signature de ses œuvres. Ses coups de pinceau étaient à l'origine semblables à la manière large et libre de certains Impressionnistes. Cependant, Cézanne mit graduellement au point la technique des coups uniformes rectangulaires en diagonales et parallèles, allant en général du haut de la toile à droite vers le bas à gauche. Il lui arrivait de modifier la direction de ses coups de pinceau dans des tableaux différents mais parfois aussi dans différentes sections d'une même œuvre. Cependant, il veillait à ce que dans chacune des sections les coups de pinceau aient la même forme et qu'ils demeurent strictement parallèles. C'est cette continuité du coup de pinceau qui donne aux toiles de Cézanne leur tissé, cette quasi-apparence de tapis et le sens du mouvement rythmique d'œuvres comme *le Château de Médan (page 152)*.

Avec Pissarro, Cézanne travailla, par intermittence, en 1872, 1873 et pendant la première moitié de 1874. Son désir d'apprendre était immense et sa capacité de travail paraissait inépuisable. A Pontoise et à Auvers, il produisit des huiles, des aquarelles, des dessins, des pastels et même des eaux-fortes. Il lui arrivait de copier une toile de Pissarro pour mieux comprendre la technique et la palette du vieux

Alors qu'il était encore presque un inconnu, Cézanne trouva un ardent admirateur en la personne du docteur Paul Gachet *(ci-dessus)*. Amateur enthousiaste et artiste, le docteur Gachet était un excentrique qui passait autant de temps à se faire des amis parmi les peintres d'avant-garde qu'à pratiquer la médecine. L'un de ceux-ci, Pissarro, le présenta à Cézanne. Gachet rencontra aussi Courbet, Manet, Monet, Degas, Renoir et Van Gogh. Ce dernier immortalisa le docteur Gachet dans quelques portraits étonnants et désormais célèbres.

peintre. Il sortait le matin et à nouveau l'après-midi, quel que fût le temps, forgeant graduellement un nouveau langage pour exprimer son art. Un jour, le peintre Charles Daubigny, dont les paysages étaient très cotés, le découvrit sur les rives de l'Oise. « Je viens de voir une œuvre extraordinaire », écrivait-il à un ami. « Elle est d'un homme jeune et inconnu, un certain Cézanne. »

La question de savoir si l'on doit comprendre Cézanne parmi les Impressionnistes a fait l'objet de débats considérables mais n'a, en fin de compte, pas grande importance. Il est évident que si Cézanne a jamais été ce que l'on pourrait appeler un Impressionniste pur — c'est-à-dire un peintre dans la ligne des Monet, des Pissarro et des Sisley — il ne l'est pas resté longtemps. A cause de l'originalité de sa personnalité artistique, il a, très tôt, transformé ce qu'il avait emprunté aux Impressionnistes comme il avait modifié ce qu'il avait emprunté aux vieux maîtres.

En général, le dessin de Cézanne était plus puissant que celui des Impressionnistes, ses volumes plus épais, son espace mieux défini. Bien qu'il eût adopté la technique divisée et hachée des Impressionnistes, il l'utilisait de telle sorte qu'elle contribuait à construire les formes plutôt qu'à les fondre, comme c'est fréquemment le cas sur les toiles des Impressionnistes. Il ne pouvait pas comprendre l'intérêt que ceux-ci portaient aux qualités fugitives de la lumière, et il leur reprochait de ne pas essayer d'aller au-delà de ce qu'ils voyaient. En fin de compte, il ne s'intéressait pas à l'ambiance qui éveillait la curiosité de ses amis — les parties de canot, la foule des théâtres, les jockeys, les patineurs et les promeneurs du bois de Boulogne.

La peinture que l'on appelle parfois « le premier tableau impressionniste » de Cézanne — *la Maison du pendu (page 66)* — date des séjours qu'il fit à Auvers à partir de 1872. Elle montre clairement comment Cézanne combinait à sa façon le jeu impressionniste des couleurs avec son sens personnel de la forme et de la structure.

Pissarro reconnaissait l'approche indépendante de son protégé. Cézanne avait, soulignait-il, « une vision qui est unique. » En parlant de leur période de travail en commun, Pissarro disait « nous étions toujours ensemble, mais chacun de nous préservait la seule chose qui eût réellement de l'importance, sa propre façon de sentir. » A quel point la chose est vraie, on peut s'en rendre compte en comparant *le Verger d'arbres fruitiers en fleurs* de Pissarro avec la version que Cézanne a donnée de la même scène *(pages 68-69)*. Là où la peinture de Pissarro a du charme, celle de Cézanne dévoile une force qui résulte, en partie, de la réduction du motif à quelques formes qui s'opposent. Il est évident que Cézanne avait commencé à considérer surfaces et volumes en termes géométriques; déjà, il était pris par les rythmes intérieurs et l'équilibre des formes. En un sens, Cézanne fut toute sa vie préoccupé par le problème de savoir comment se servir de la technique divisée de l'Impressionnisme pour construire des structures picturales solides, et son combat constant pour réconcilier les deux principes explique probablement pour beaucoup le sentiment d'épreuve et de tension que dégagent ses toiles.

Pendant son séjour à Auvers, Cézanne rencontra le mécène, médecin et conseiller spirituel de deux générations de peintres français, le docteur Paul Gachet. Lui-même peintre amateur et artiste graphique, Gachet s'était introduit dans les cercles artistiques et littéraires dès sa jeunesse. Il avait connu Courbet et Victor Hugo, et il se faisait un

Sur le conseil du docteur Gachet, Cézanne s'essaya à l'eau-forte, produisant les deux œuvres qui illustrent cette page ainsi que trois autres. On voit, ci-dessous, un paysage d'Auvers et, ci-dessus, un portrait de son ami, le peintre Armand Guillaumin. Dans le coin supérieur gauche du portrait, Cézanne a griffonné un pendu, emblème qui n'a rien à voir avec Guillaumin mais que Cézanne adopta à un moment donné comme une sorte de signature. Elle se rapporte à son paysage, *la Maison du pendu (page 66)*.

point d'honneur à fréquenter les cafés de Paris où il avait le plus de chance de rencontrer des écrivains et des artistes. Au café Guerbois, il s'était lié avec les membres du groupe des Batignolles qu'il semblait respecter profondément. Libre penseur et socialiste, homéopathe, il s'intéressait à la phrénologie et à la chiromancie et, au café Guerbois, aimait à discuter des mérites de la crémation et de l'amour libre. Persuadé de survivre à tous ses contemporains (il songea un jour à écrire un livre intitulé *l'Art de vivre cent ans*), il proposa de faire l'autopsie de Renoir dans le cadre d'une étude du génie artistique — offre que Renoir refusa aimablement mais fermement.

A l'époque où Cézanne s'installait à Auvers, le docteur Gachet était déjà une sorte de personnage légendaire, surtout parce qu'il avait l'habitude de se teindre les cheveux en jaune — on le connaissait dans le voisinage sous le nom de « docteur Safran » — et de se promener en ville, les jours de beau temps, sous une ombrelle blanche. Sa maison à deux étages contenait — outre sa femme, deux enfants et une ménagerie composée de chats, de chiens, de poulets, de lapins, de canards, de pigeons, d'un paon, d'une tortue et d'une chèvre — des poteries et des verres que Cézanne ne se lassait jamais de prendre pour sujets de ses natures mortes.

La maison était aussi remplie des tableaux que le docteur Gachet avait achetés à ses amis ou reçus en règlement de ses honoraires. En 1873, il devint le premier acheteur d'une toile de Cézanne lorsqu'il acquit la seconde version d'*Une moderne Olympia (pages 66-67)*, que l'artiste avait précisément peinte chez lui. Le docteur Gachet persuada un instituteur retraité de Pontoise d'acheter quelques tableaux ; il convainquit aussi l'épicier qu'il serait sage d'accepter quelques toiles en paiement de ses factures.

En 1873, Pissarro présenta Cézanne à un marchand de tableaux parisien du nom de Julien Tanguy. Le jugement de Tanguy en matière de peinture était apparemment très sûr, et il prit l'habitude d'accepter des œuvres d'artistes auxquels il fournissait en échange des toiles vierges et des tubes de peinture. Ainsi acquit-il en quelques années de nombreux tableaux exécutés par Pissarro, Cézanne, Guillaumin, Sisley, Van Gogh, Gauguin, Signac, Seurat et bien d'autres.

Tanguy entassait ses toiles dans la réserve de son petit magasin mais, à la première occasion, il les sortait pour les montrer à ses clients. Au cours des années 1880 et au début des années 1890, de jeunes peintres venaient en foule à son magasin pour contempler les Cézanne qui s'y trouvaient, car on n'en pouvait voir nulle part ailleurs à Paris. « On allait chez Tanguy comme au musée », disait Émile Bernard. Il est incontestable que Tanguy a non seulement sauvegardé beaucoup de tableaux de Cézanne en persuadant celui-ci de ne pas détruire les œuvres dont il n'était pas satisfait, mais qu'il a, en outre, contribué à établir la célébrité et l'influence futures du peintre.

Un troisième client allait jouer un rôle important en faisant accepter Cézanne et les Impressionnistes par un public hostile ; Victor Chocquet *(pages 70-71)*, fonctionnaire des douanes à Paris, collectionnait tableaux et antiquités. Il n'était pas riche mais c'était un acheteur avisé ; il possédait une collection de peintures contemporaines qui comprenait des œuvres de Manet, de Renoir, de Monet et de Pissarro. La première fois qu'il vit chez Tanguy une œuvre de Cézanne, *les Baigneuses*, il l'acheta sur-le-champ ; à sa mort, en 1890, sa collection comportait plus de trente Cézanne.

Au printemps de 1874, comme Cézanne s'apprêtait à quitter Pontoise pour retourner à Aix, les Impressionnistes organisèrent la première exposition de leur groupe à Paris. Craignant que les toiles de Cézanne — originales dans leur facture et souvent extravagantes dans leur thème — ne fissent redoubler d'animosité un public déjà hostile à l'ensemble du groupe des Batignolles, plusieurs exposants suggérèrent de ne pas l'admettre. Pissarro, cependant, insista pour que l'on ne laissât pas Cézanne de côté et l'on accrocha trois de ses toiles aux cimaises de l'exposition — la seconde *Moderne Olympia,* un paysage à Auvers et *la Maison du pendu.*

Absent au salon des refusés de 1863, Cézanne attira l'attention du public pour la première fois. Quelques visiteurs de l'exposition de 1874 s'en amusèrent, mais la plupart, comme certains de ses confrères l'avaient craint, se fâchèrent. Tous les exposants furent fustigés par la critique, mais aucun ne fut traité avec autant de hargne que Cézanne. De ses trois œuvres, ce fut *Une moderne Olympia* qui souleva le plus de commentaires; son thème hallucinatoire et érotique, son interprétation audacieuse et débridée des formes et des couleurs conduisirent un critique à conclure que l'auteur de l'œuvre était « une sorte de fou qui peint pendant ses crises de delirium tremens. » L'hostilité des réactions aux œuvres de Cézanne exposées en 1874 a créé un climat de désapprobation presque hystérique qui devait persister jusqu'à la fin de la vie de l'artiste et même au-delà. (Il fut toutefois admis dans des circonstances exceptionnelles au Salon de 1882. Le peintre Antoine Guillemet était devenu membre du jury officiel et, de ce fait, avait le droit de présenter une œuvre réalisée par un de ses élèves. Prétendant que Cézanne était l'un d'eux, il fit accepter une huile sous le titre de *Portrait de monsieur L.A.* Cette œuvre a disparu depuis).

En 1876, les Impressionnistes organisèrent une nouvelle exposition de leur groupe, à laquelle, pour des raisons inconnues, Cézanne ne participa pas. Mais, à la troisième, en 1877, il exposa trois aquarelles et treize huiles, y compris les *Baigneuses* achetées par Chocquet et un *Portrait de Victor Chocquet.*

Bien qu'il fût à nouveau ridiculisé, Cézanne trouva un défenseur en la personne du critique Georges Rivière qui, avec l'aide de Renoir, publia un journal pendant la durée de l'exposition, pour défendre les Impressionnistes et expliquer ce qu'ils cherchaient. Au sujet de Cézanne qu'il connaissait à peine, Rivière écrivait : « Le peintre des *Baigneuses* est de la race des géants... Les natures mortes, si belles, si exactes dans les rapports des tons, ont quelque chose de solennel dans leur vérité. Dans tous les tableaux, l'artiste émeut, parce que lui-même reçoit de la nature une émotion violente, que la science transmet à la toile. »

Les remarques de Rivière étaient très pénétrantes mais elles ne firent guère de bien à Cézanne car personne ne les écouta. Vingt ans après la troisième exposition des Impressionnistes, l'œuvre de l'artiste demeurait inconnu. Cézanne lui-même disparut presque. S'il se sentait de plus en plus sûr de sa façon de peindre, il restait bouleversé par le manque de compréhension du public, et il s'enfonçait de plus en plus profondément dans un isolement qu'il s'imposait à Paris comme à Aix. Roger Fry raconte que lorsqu'il étudiait l'art à Paris, au début des années 1890, il n'entendit jamais le nom de Cézanne. A la vérité, beaucoup pensaient — si encore ils pensaient à lui — que le « sauvage raffiné » d'Aix, comme Pissarro l'appelait, était mort.

La révolte impressionnist

Le 15 avril 1874, un mouvement qui gagnait du terrain depuis les années 1860 et allait devenir l'Impressionnisme éclata comme un coup de tonnerre dans le monde artistique parisien confit en traditions. Ses débuts se tinrent parmi les huées et les cris de dérision montant du public et de la critique, dans un atelier dominant le boulevard des Capucines. Trente peintres d'avant-garde, parmi lesquels Claude Monet, auteur du tableau ci-contre à droite, exposaient 165 œuvres; trois d'entre elles étaient de Cézanne.

Cézanne et les Impressionnistes se révoltaient contre l'art académique du Salon et fuyaient les sujets historiques et littéraires. Beaucoup d'entre eux s'intéressaient à des scènes de la vie contemporaine — familles en pique-nique, canotage sur la Seine, rues et cafés de Paris. Ils peignaient leurs paysages directement d'après nature plutôt qu'en atelier. Ils rejetaient le trait précis et les tristes pigments terreux des académies, y substituant un jaillissement de brillantes couleurs pour recréer les effets de la lumière avec leurs variations selon la saison, l'heure et le temps.

Sous l'influence des Impressionnistes, la palette de Cézanne devint plus brillante, ses coups de pinceau plus courts et plus délicats. Il se mit à éviter les contrastes non naturels de l'ombre et de la lumière, et il abandonna le sombre modelé de ses premières œuvres. Mais son goût pour la forme finit par l'éloigner des Impressionnistes pour le conduire à la discipline de son style structurel.

L'évanescente beauté de Paris, l'hiver, apparaît dans les délicats coups de brosse de ce Monet qui fut présenté au cours de la première exposition impressionniste; la scène est vue de l'atelier même où se tenait l'exposition. Dans ce tableau très caractéristique de l'Impressionnisme, la primauté est donnée à la couleur et à l'atmosphère; les formes et lignes générales se dissolvent dans une lumière brumeuse. Cette qualité attira, plus tard, une réflexion mi-critique, mi-admirative de Cézanne, « Monet, ce n'est qu'un œil, mais mon Dieu, quel œil! ».

Claude Monet : *Le Boulevard des Capucines,* 1873

La Maison du pendu, 1872-1873

Aucun tableau de l'exposition impressionniste ne fut autant tourné en dérision que *Une moderne Olympia (à droite)* de Cézanne. Son sujet érotique, une voluptueuse courtisane dévoilée sous le regard concupiscent d'un viveur élégant, offensa le public dont l'hostilité se manifesta souvent de façon violente. On avertit le propriétaire de la toile que s'il ne la faisait pas surveiller étroitement, on pourrait « la lui rendre en morceaux. » Un critique comparait ces personnages flamboyants et ces couleurs intenses à des « élucubrations engendrées par le hachisch, tirées d'un grouillement de rêves obscènes. » Le tableau rappelle certaines des œuvres romantiques du Cézanne des années 1860 mais, comparée à la tonalité morbide de ces toiles, *Une moderne Olympia* déborde de saine bonne humeur. C'est en fait une satire joyeuse d'une précédente *Olympia*, celle plus connue d'Édouard Manet.

Dans un autre tableau (*ci-dessus*), Cézanne se rapprocha plus encore du véritable Impressionnisme. C'est une œuvre peinte en plein air; les couleurs sont fraîches et naturelles, appliquées à coups brefs, par plaques; elles évoquent le ruissellement de la lumière tiède de l'automne sur la route, les murs de terre battue et le toit de chaume de la maison. Bien qu'il s'agisse d'une des rares œuvres vendues au cours de l'exposition, elle eut aussi sa part de remontrances : un critique prédit que l'amour trop exclusif du jaune compromettrait certainement l'avenir de Cézanne.

Une moderne Olympia, 1872-1873

Portrait de Pissarro par Cézanne, 1873

De tous les Impressionnistes, Camille Pissarro *(à gauche)* est celui qui exerça l'influence la plus profonde sur l'œuvre de Cézanne. C'est pendant les séjours qu'il fit dans la maison de Pissarro, à Pontoise, que Cézanne commença à peindre d'après nature comme le faisaient les Impressionnistes. Là, dans la campagne, Pissarro et lui travaillaient souvent côte à côte, utilisant les mêmes techniques. La comparaison des deux tableaux ci-dessous exprime éloquemment les similitudes et les différences dans leur interprétation d'une même scène. Dans les deux, les touches de pigment brillant plutôt qu'un trait marqué évoquent les troncs des arbres, les fleurs et les fenêtres à volets des maisons.

Camille Pissarro : *Verger d'arbres fruitiers en fleurs au printemps, Pontoise,* 1877

Les nuances des ombres sur les toits et les murs sont rendues par des teintes de bleu pur. Une impression de plein air se dégage, sans conteste, des deux œuvres.

Il est cependant évident que Cézanne s'est beaucoup plus intéressé que Pissarro aux éléments architecturaux du paysage. Il a simplifié et réarrangé la nature pour concentrer l'attention sur les bâtiments et le contour marqué des collines, construisant sa toile avec plus de solidité que celle de Pissarro. Mis à part ce souci plus grand de la structure chez Cézanne, il existe peut-être une raison bien simple à la différence entre les deux tableaux : Cézanne travaillait si lentement que les fleurs ont eu tout le temps de tomber des arbres avant qu'il n'eût terminé sa peinture!

Portrait de Cézanne par Pissarro, 1874

Le Sentier de la ravine, vu de l'Ermitage, Pontoise, 1877

69

Renoir : *Portrait de Victor Chocquet,* v. 1875

Portrait de Victor Chocquet, 1876-1877

Le mouvement impressionniste affecta la carrière de Cézanne du point de vue pratique autant que du point de vue artistique, car il lui fit connaître ses premiers clients. L'un des plus enthousiastes de ceux-ci fut Victor Chocquet, un fonctionnaire des douanes qui, sans être riche, s'était constitué une superbe collection artistique. Il fut l'un des rares hommes à détecter le talent chez les nouveaux peintres, et en particulier chez Cézanne qu'il en vint à considérer comme son propre peintre. Il se rendit tous les jours à l'exposition impressionniste en 1877, défendant à voix haute les mérites de ses amis contre la critique excessive des visiteurs. L'ironie du sort a voulu que la peinture la plus attaquée soit un portrait de Victor Chocquet par Cézanne *(ci-dessus à droite).*

Cézanne avait rencontré Chocquet par l'intermédiaire de Renoir qui en avait fait un portrait que l'on peut voir ci-dessus à gauche. Si les deux œuvres étincellent d'effets impressionnistes, le Cézanne apparaît plus puissant, avec des formes plus massives. Ce souci de la structure est plus visible encore dans le portrait que Cézanne fit de Chocquet assis *(à droite).* Les couleurs demeurent lumineuses, mais les fortes lignes horizontales du cadre du tableau se structurent avec les verticales de la jambe droite du sujet et du dos du fauteuil. La répétition des blancs dans la chevelure, la chemise et les chaussettes de Chocquet, celle des rouges dans la carpette et le papier peint, celle des jaunes dans les cadres et dans le fauteuil servent à donner son unité à la composition. C'est de cette façon que Cézanne cherchait à réaliser son objectif, « faire de l'Impressionnisme quelque chose de solide et durable, comme l'art que l'on voit dans les musées. »

Portrait de Victor Chocquet, v. 1877

71

72

IV

La méthode
du maître

Au cours de l'exil qu'il s'imposa, et sans que personne ne s'en aperçût, Cézanne devint un grand peintre. Cette transformation se manifeste très nettement dans ses toiles mais, sur l'homme lui-même, nous n'avons que des lueurs fragmentaires pendant une bonne décennie — des dernières années 1870 au début des années 1890.

Pendant tout ce temps, Cézanne n'a cessé de déménager d'une résidence à l'autre, en Provence, à Paris et aux environs de la capitale. Ainsi le trouvons-nous successivement à L'Estaque, à Gardanne et à Aix dans le Midi; à Pontoise, Auvers, Chantilly, Fontainebleau, Issy, Melun, Médan, La Roche-Guyon, Villennes et Vernon aux alentours de Paris; et à une demi-douzaine d'adresses différentes dans la capitale elle-même. Rarement séjourna-t-il un an de suite au même endroit mais il revenait parfois vivre à certains d'entre eux.

La correspondance qu'il entretint avec Zola demeure le meilleur guide de ses activités, de la fin de la trentaine à l'approche de la cinquantaine. C'est par ses lettres, par exemple, que nous sommes informés de la crise tragi-comique qui survint entre Cézanne et son père au début de 1878.

A la suite de l'accueil décevant fait à ses œuvres au cours de la troisième exposition du groupe impressionniste en mai 1877, Cézanne avait passé l'été et l'automne à peindre aux environs de Paris avant de retourner — en décembre ou en janvier — en Provence. Là, il se trouva devant la ridicule obligation d'avoir à faire une continuelle navette entre Marseille, où il avait installé Hortense et le jeune Paul dans un petit appartement, et le Jas de Bouffan, où il vivait dans la terreur permanente que son père découvrît l'existence de sa jeune famille. La situation fut mise au jour, sans intention, par Victor Chocquet qui ne savait pas que Louis-Auguste avait l'habitude d'ouvrir le courrier de son fils. Dans une lettre à ce dernier, Chocquet parle de « Madame Cézanne » et du « petit Paul ». Cézanne fit part de l'incident à Zola, lui écrivant à propos de son père : « Il tient de différentes personnes que j'ai un enfant, et il tâche de me surprendre par tous les moyens possibles. Il veut m'en débarrasser, dit-il ». Furieux de voir Cézanne nier l'évidence avec obstination, Louis-Auguste réagit comme son fils le craignait : il réduisit sa pension de moitié — cent francs au lieu de deux cents par mois — sous le prétexte que c'était là une somme suffisante pour un célibataire.

Cette violente aquarelle qui représente la tragique figure de Médée tenant encore ses deux fils qu'elle vient d'assassiner a été peinte par Cézanne d'après une huile d'Eugène Delacroix. Cézanne fut fortement influencé par les thèmes émotionnels et la brillante palette de Delacroix; il fit un jour remarquer que Delacroix maîtrisait tant la couleur que « nous peignons tous différemment à cause de lui ».

Médée (d'après Delacroix), 1879-1882

Les encadrés sur la carte de France
ci-dessus indiquent les régions où
Cézanne a peint presque tous ses
paysages. Les cartes détaillées
ci-dessous montrent les villes dans
lesquelles il a travaillé le plus
souvent. Cézanne séjourna chez Zola
(à Médan), chez Pissarro (à Pontoise)
et chez le docteur Gachet (à Auvers).
La plupart de ses déplacements
autour d'Aix ne dépassaient
pas la journée, mais il vécut un
certain temps à L'Estaque et,
pendant plus d'un an, à Gardanne.

Le pauvre Cézanne ajoutait dans la même lettre à Zola que, quelques jours plus tôt, il s'était «échappé» à Marseille pour rendre visite à Hortense et à l'enfant qui avait été malade, et avait manqué le train qui devait le ramener à Aix à temps pour le dîner. Plutôt que d'indisposer son père par une absence imprévue à table, le plus grand peintre français de sa génération — il avait presque quarante ans à l'époque — traîna la jambe sur la trentaine de kilomètres séparant Marseille d'Aix. Malgré cela, il avait eu une heure de retard.

Pour faire vivre sa femme et son fils, Cézanne en était réduit à emprunter de l'argent à Zola. « Ma bonne famille », écrivait-il à Zola avec une ironie étudiée, « excellente, d'ailleurs, pour un malheureux peintre qui n'a jamais rien su faire, est peut-être un peu avare; c'est un léger travers, bien excusable sans doute en province. » En fin de compte, grâce à l'aide de sa mère, il obtint que sa pension lui fût rendue entière. Le plus piquant dans cette affaire est que Cézanne était déjà légalement en possession de son héritage — Louis-Auguste, pour éviter des droits de succession, lui ayant transféré ses biens en 1870 — mais qu'il avait trop peur de son père pour y toucher.

A ce point de leur carrière, le contraste entre Cézanne et Zola n'aurait pas pu être plus frappant. Non seulement Zola avait attiré l'attention du public mais, dès la fin des années 1870, il était en train de devenir le romancier le plus populaire de France. Il avait publié sept romans de la série des Rougon-Macquart, et le plus récent, l'Assommoir, avait obtenu l'un de ces succès de scandale qui font la joie des Français. Le thème du livre, la dégénération progressive de la famille imaginée par l'auteur, du fait de la maladie et de l'alcool, lui valut un succès considérable; en 1878, Zola gagnait assez d'argent pour s'acheter près de Médan, sur les bord de la Seine, une « modeste retraites campagnarde » que, écrivait-il à Flaubert, « la littérature avait payée ».

Zola ajouta deux grandes ailes au bâtiment principal et le meubla d'un ahurissant bric-à-brac de porcelaines, d'étains, de cuivres, d'ivoires, de sculptures sur bois, d'armures, de tapisseries, d'anges en ivoire, de bustes de Vénus, de vases en porcelaine de Sèvres et d'éventails japonais gravés de scènes érotiques. Il vivait là huit mois par an et y recevait somptueusement les personnalités littéraires de l'époque — Flaubert, Tourguenieff, Daudet, Edmond de Goncourt, Maupassant. Cézanne faisait parfois une rapide apparition, bien qu'il n'aimât pas se mélanger aux autres invités; il avait l'impression, disait-il sèchement, de rendre visite à un ministre.

La réprobation que manifestait Cézanne à l'égard du mode de vie de Zola et des œuvres de celui-ci se précise de plus en plus dans leur correspondante. Cézanne lisait beaucoup — il connaissait bien les ouvrages philosophiques de Kant et de Schopenhauer; les romans de Chateaubriand, Hugo, Stendhal, Balzac; les pièces de Racine et de Molière; les poèmes de Baudelaire dont il savait les Fleurs du Mal par cœur. Cette orientation intellectuelle lui faisait, semble-t-il, repousser l'instinct vulgarisateur de Zola; après avoir lu Une page d'amour en 1878, par exemple, il assura à son ami que l'ouvrage serait « un grand succès », mais ajouta assez brutalement : « Il est vraiment regrettable que les choses de l'art ne soient pas plus goûtées et qu'il soit nécessaire pour attirer le public d'un rehaut qui n'appartient pas exclusivement (...) sans qu'il lui nuise, il est vrai. »

Il y eut des périodes — c'est le cas de l'année 1887 — au cours desquelles un silence presque complet s'établit autour de Cézanne. («Merci», écrivit-il un jour à Zola du Jas de Bouffan, « de ne pas m'oublier dans la retraite où je vis »). Pendant ces années-là, Cézanne peignit probablement plus de trois cents toiles. C'est parmi celles-ci que se trouvent la plupart des tableaux qui influencèrent l'art du début du vingtième siècle. L'œuvre de Cézanne au cours de cette période a fait l'objet d'analyses diverses et de nombreuses interprétations. L'une des plus simples façons de l'aborder consiste à le faire en fonction de la conception, mûrie par les années, que Cézanne avait d'un tableau, et de sa façon d'en produire un.

Cézanne avait un point de départ radicalement différent de celui de ses contemporains. Dans un sujet, ce qui l'attirait n'était pas l'intérêt intrinsèque, le charme ou le contenu érotique, le drame inhérent ou la signification sociale ou allégorique. Il n'y voyait que des images sous lesquelles existe une infrastructure dont il faut trouver le sens. Et ce n'est que par la révélation de ce sens profond que l'artiste peut exprimer ses émotions intimes. Et les deux choses — la révélation et l'expression personnelle qui l'accompagne — constituaient la seule raison d'être de l'artiste. Cézanne se méfiait des peintres qui, selon lui, poursuivaient des buts moins nobles tels que la décoration — c'est l'accusation qu'il portait contre Gauguin, ne voyant en celui-ci « qu'un fabricant d'images chinoises » — ou l'expression personnelle sans discipline qui, d'après lui, menait Van Gogh à la ruine. (Émile Bernard a raconté la seule rencontre dont on ait connaissance entre Cézanne et Van Gogh. Elle eut lieu dans la boutique du père Tanguy; après avoir regardé les toiles de Van Gogh, Cézanne aurait dit à celui-ci : « En toute sincérité, vous peignez comme un fou! »).

L'attitude de Cézanne à l'égard de Gauguin et de Van Gogh fait état de quelques difficultés auxquelles on se heurte lorsqu'il s'agit de situer un artiste. A défaut d'un terme plus explicite, le mot «post-impressionniste » a longtemps servi à cataloguer les peintres qui ont réagi contre l'Impressionnisme qui mettait l'accent sur l'aspect purement visuel des choses, en faveur d'un art plus délibérément constructif et plus expressif psychologiquement. A partir de cette définition, il est évident que Cézanne fut le premier post-impressionniste, et on l'a souvent considéré comme tel. Mais on dit que Gauguin et Van Gogh le sont aussi, de même que Seurat — et Cézanne faisait de nombreuses réserves à l'égard de ces trois peintres. Aucun d'eux, considérait-il, ne se donnait le mal de découvrir la logique interne de la nature pour trouver la leur.

En réalité, il n'y avait aucun peintre vivant dont Cézanne eût entièrement et sans restriction approuvé les dessins. Qu'il ait connu l'œuvre de ses contemporains importants ne fait aucun doute car il voyait leurs toiles chez Tanguy. Même les peintres qui l'ont directement influencé, tels Courbet et Delacroix, ont eu droit à son admiration pour des raisons autres que leurs intentions. Il se méfiait de l'aphorisme de Courbet chez qui l'art devait être un commentaire social et de celui de Delacroix d'après qui il devait exposer des thèmes littéraires. Et, nous l'avons vu, il refusa dès le début de s'intéresser, comme les Impressionnistes, à l'instant fugitif.

Cette approche unique de l'art eut, pour Cézanne, des conséquences diverses. L'une d'entre elles fut le temps inhabituel qu'il passait à regarder avant de commencer à peindre. Cézanne devait d'abord *voir* son sujet. Il ne faut pas entendre par là qu'il devait voir la structure d'ensemble avant d'attaquer sa toile. En fait, cela lui était impossible. L'action de peindre était, en elle-même, à condition que tout aille bien, une révélation continuelle de la signification intime du sujet. Mais l'artiste devait trouver au moins un point de départ à partir duquel bâtir. Si celui-ci manquait, la scène n'avait pas de signification — ce n'était qu'une de ces vues pittoresques qui apparaissent, écrivait-il à un ami, « dans les albums des jeunes femmes qui font du tourisme. » C'est ce qu'il voulait dire lorsqu'il écrivait à Zola, de l'Estaque, en 1883, « Ici j'ai quelques beaux points de vue, mais ils ne constituent pas de vrais sujets. »

Parlant de son œuvre, Cézanne se plaignait que « la lecture du modèle et sa réalisation sont parfois très lents à venir. » Ceci laisse penser qu'il existait pour lui deux stades dans la création d'un tableau. La « lecture », l'effort « d'aller jusqu'au fond de ce que vous trouvez en face de vous », comme Cézanne le déclarait à un jeune artiste de ces amis, était suivie de la « réalisation » — l'action de peindre ce que la lecture avait révélé.

C'est ce dernier point qui est important. Le tableau *doit* être construit à partir des composants — les formes, les couleurs, les relations volumétriques — présents dans le modèle. Autrement, il n'aurait aucun sens selon l'idéal artistique de Cézanne. « Le peintre devait se consacrer entièrement à l'étude de la nature », écrivit-il un jour, « et essayer de créer des tableaux qui soient un enseignement ». Si ces peintures devaient « être un enseignement » sur la signification des formes et des couleurs du monde naturel, elles ne pouvaient l'être qu'en conservant la possibilité d'être identifiées à celui-ci. Elles devaient demeurer, comme Cézanne l'affirma souvent, « fidèles » à la nature.

Ce concept de fidélité à la nature est à l'origine de bien des jugements erronés sur l'œuvre de Cézanne, car il est évident que celui-ci ne se contentait pas de reproduire ce que voyaient ses yeux. Il ne s'intéressait pas à ce qu'il appelait « l'imitation servile ». Émile Bernard le cite : « Nous ne devrions pas nous contenter de la simple réalité... La transposition qu'un peintre fait à travers sa vision personnelle donne à la représentation de la nature un nouvel intérêt ; il dévoile, en tant que peintre, ce qui n'a pas encore été dit ; il le traduit dans les termes absolus de la peinture. C'est-à-dire, quelque chose d'autre que la réalité. »

Pour comprendre en quoi Cézanne adhérait au monde réel et en quoi il s'en éloignait, il suffit de concevoir sa lecture du modèle comme une sorte de processus de démantèlement. Lorsque les divers composants de la « stricte réalité » se trouvaient, en quelque sorte, étalés devant lui, il sélectionnait ceux qui rendaient le mieux le sens de la scène et les unissait alors en une composition.

En bref, le monde visible n'était qu'un point de départ pour Cézanne — la source des matériaux dont il avait besoin pour construire son tableau. Il ne ressentait pas le besoin de donner aux objets l'identité précise, pour ce qui concerne la forme ou la couleur, qu'ils avaient dans le monde réel. L'important pour lui était le rapport de ses couleurs et de ses formes dans l'espace ; pour lui, fidélité à la nature signifiait simplement fidélité à ces rapports. Il exprimait cette double obligation d'être fidèle à son modèle et de s'en éloigner dans l'une de ses nombreuses lettres à Bernard : « On ne peut pas être trop scrupuleux, trop sincère, trop soumis à la nature..., écrivait-il, mais on doit être plus ou moins maître de son modèle. »

Le modèle pouvait être un paysage de la région d'Aix dans lequel s'unissaient, sous des formes diverses et à des profondeurs diverses, les couleurs caractéristiques de la Provence — l'ocre jaune, l'orange, le vert, le pourpre et le bleu. En construisant son sujet à partir de ce modèle, Cézanne laissait beaucoup de choses de côté, y compris des couleurs qui, selon lui, n'exprimaient pas le pays, et il lui arrivait de modifier les caractéristiques spécifiques des objets qui restaient. Il mettait une touche d'orange dans le tronc d'un arbre ou donnait au bleu du ciel certains des verts des arbres et *vice versa*, amenait certains objets au premier plan et en repoussait d'autres au fond, plaçait un buisson ou une maison pour figurer un volume qui dans la nature était rendu par une masse d'arbres. Le tableau complet ne ressemblait donc pas exactement à ce qui se trouvait sous les yeux de Cézanne, mais il en contenait les éléments essentiels. Et, dans l'esprit du peintre, il avait plus de sens que le sujet réel. C'est le secret des paysages qui saisissent d'une façon si remarquable l'essence du pays de l'artiste, tout en éliminant la plupart des détails. Quiconque se rend en Provence constate vite cette union de l'abstraction et de la réalité; les photographies de ces sites, prises par John Rewald et Erle Loran au début des années 1930, en apportent une éclatante confirmation.

L'exhortation de Cézanne à « voir dans la nature le cylindre, la sphère et le cône » est probablement la formule la plus célèbre de l'art moderne. Nous n'avons pas besoin d'y voir un appel en faveur d'un art nouveau, comme le firent les Cubistes, pour comprendre la signification qu'elle avait pour Cézanne. Celui-ci parlait souvent de ses tableaux en disant que c'étaient des « constructions d'après nature », édifiées avec des « équivalents plastiques et des couleurs. » Pour parvenir à ces équivalents plastiques, il réduisait les objets à leurs formes les plus simples, omettant beaucoup des détails qui n'échappent normalement pas à l'œil. Ces formes simplifiées constituaient une sorte de sténographie géométrique (comprenant beaucoup plus de formes que le cylindre, la sphère et le cône mentionnés par Cézanne), et elles sont pour beaucoup dans l'effet de structure caractéristique de tous les tableaux peints par Cézanne pendant son âge mûr. On constate ces éléments structurels tout en reconnaissant facilement les objets dont ils aident à faire ressortir la forme. C'est un peu comme si le peintre s'était arrangé pour extraire la forme significative de l'enveloppe qui la contenait.

Poussée à l'extrême, cette réduction des formes conduit à un art abstrait; les Cubistes l'ont démontré lorsqu'ils commencèrent à tirer leur inspiration, vers 1908, de ce que Venturi a appelé les peintures « constructives » de Cézanne. Mais aucun art abstrait n'eût été possible pour celui-ci car il eût empêché cette fidélité dont le peintre se sentait tenu à l'égard de la nature. Certes, au cours des années, les sujets de ses tableaux se firent de plus en plus abstraits, mais ils ne furent jamais démantelés au point de rendre difficile leur rapprochement avec les choses du monde réel.

Encore faut-il souligner que Cézanne n'était pas un artiste figuratif au sens ordinaire du mot. S'il peignait une montagne de façon telle qu'on puisse la reconnaître et l'identifier, il agissait ainsi pour transmettre la signification que lui-même y attachait — et non pour qu'un spectateur puisse ressentir de seconde main les émotions que le paysage réel avait fait naître en l'auteur. Cézanne ne peignait pas des paniers de fruits pour stimuler l'appétit, ni des arbres pour évoquer la langueur de l'été. En réalité, il désirait supprimer les émotions qui se dégageaient du sujet ou n'étaient que des rappels d'anciennes sensations, car il les considérait comme fatales à l'objectif réel de la peinture, dont le dessin consistait à exprimer des idées et des émotions par le seul truchement des formes et des couleurs. Au cours de la décennie suivante, d'autres post-Impressionnistes firent écho à cette conviction qui allait avoir un énorme retentissement sur l'art du XXe siècle au fur et à mesure que celui-ci devenait plus personnel.

Cette position donna naissance à une autre conviction, tout aussi importante : un tableau possède une valeur intrinsèque et il doit rester fidèle à lui-même — c'est-à-dire aux deux dimensions. En d'autres termes, peindre n'est pas chercher à faire croire au spectateur qu'il regarde par la fenêtre mais lui faire prendre conscience de ce que la surface du tableau a autant de «réalité» que le sujet. L'artiste doit donc établir un équilibre entre *deux* réalités — celle de la nature dans un monde à trois dimensions et celle de l'image à deux dimensions. Cette notion n'a rien qui nous étonne ; mais c'était une conception tout à fait nouvelle du temps de Cézanne et qui allait sérieusement influencer sa peinture.

Conséquence première, il jugea nécessaire de relâcher le système mathématique de la perspective linéaire introduite par l'architecte et sculpteur florentin Filippo Brunelleschi dans le courant du XVe siècle. Le système de Brunelleschi réglemente la dimension des objets et la convergence ou la divergence des lignes pour créer l'illusion d'une troisième dimension sur une toile à deux dimensions : le tableau paraît être un paysage réel vu à travers une fenêtre, comme si l'espace peint était une extension de celui dans lequel se tient le spectateur. Cézanne cherchait autant à éviter cet effet que les peintres académiques de son temps cherchaient à l'obtenir, parce que concentrer l'attention du spectateur sur l'illusion de la profondeur aboutit à troubler la perception que celui-ci a de la réalité bidimensionnelle de la toile, réalité à laquelle Cézanne accordait une valeur prééminente.

Cézanne peignait si exactement d'après nature qu'il a été possible à des spécialistes de son œuvre de situer l'emplacement précis de certains de ses paysages. La vue ci-contre à droite a été prise par le professeur Erle Loran, qui découvrit et photographia des douzaines de sites provençaux où Cézanne planta son chevalet. Le tableau plus loin à droite montre que lorsque la photographie a été prise, quelque quarante ans plus tard, la scène n'avait pratiquement pas changé. Mais le tableau de Cézanne n'en est pas une reproduction littérale ; il a réordonné la nature à sa convenance — le puits, au centre, est plus large, la disposition des arbres, à droite, est mieux ordonnée que dans la réalité.

En outre, la perspective linéaire — et la façon normale de regarder les choses — imposait une échelle de dimension trop stricte au goût de Cézanne. Il préférait souvent donner aux objets figurant dans ses tableaux une taille liée à leur signification à l'égard du sujet tel qu'il le « réalisait ». Par exemple, dans ses paysages de la montagne Sainte-Victoire *(pages 154-157)*, il exagérait presque toujours les dimensions de la montagne, quel que fût l'endroit d'où il la peignait.

La méfiance de Cézanne à l'égard de la perspective linéaire n'avait d'égale que celle qu'il portait à la perspective aérienne, dans laquelle l'intensité des couleurs est descendue et la précision des formes estompée pour indiquer la distance. Ce procédé, très largement utilisé par les Impressionnistes, était étranger à Cézanne qui désirait souligner l'importance de la disposition en surface du tableau. En réduisant la clarté des couleurs et des formes, la perspective aérienne violait une autre des convictions de l'artiste : la séquence de la couleur et de la forme doit être ressentie dans l'intégralité du tableau, chaque section de la composition ayant une égale importance.

Cette égalité de toutes les parties du tableau est l'un des traits les plus frappants des peintures de Cézanne. On n'y trouve aucune distinction dans la texture. L'utilisation de petits coups de brosse parallèles donne à une masse de feuillage la même apparence tissée qu'elle donne à une masse de rochers — la chose est évidente dans *Rochers—Forêt de Fontainebleau (pages 90-91)* — et a pour résultat non seulement de rendre plus apparente la qualité structurelle de la composition mais aussi l'unité matérielle de tous les objets peints. Ceux-ci sont à l'évidence situés à des profondeurs différentes mais aucun n'est plus détaillé qu'un autre ou mieux défini dans l'espace, comme on peut le voir sur les vues panoramiques de la montagne Sainte-Victoire ou de la baie de Marseille *(page 152)*. Dans toutes les parties des tableaux, l'intensité de la lumière est égale. Cézanne préférait une lumière que

La remarque, souvent citée, de Cézanne, selon laquelle il désirait « faire du Poussin d'après nature » a déconcerté longtemps les historiens de l'art. L'explication logique est que, s'il admirait vraiment le sens de l'ordre et de la structure du grand classique du XVIIᵉ siècle, il aurait voulu l'adoucir avec un peu de la couleur et de la lumière naturelles. Les seuls indices réels de l'intention de Cézanne se trouvent dans quelques fragments d'esquisses qu'il réalisa d'après des peintures de Poussin. Ci-dessus, figure un détail des *Bergers d'Arcadie (en haut)*, que Cézanne a probablement copié au Louvre et dont une reproduction se trouvait dans son atelier.

l'on a décrite comme « intérieure » — c'est-à-dire qui paraisse émaner de la peinture elle-même et n'ait que peu de rapport avec la position théorique du soleil. (C'est un point qui a frappé les critiques qui en ont conclu, à tort, que Cézanne peignait ses paysages sous la lumière diffuse d'un ciel couvert.) En pratique, cette lumière sans source conduit à des couleurs d'une même luminosité sur l'ensemble de la toile. L'effet global renforce cette continuité de la forme et de la couleur que Cézanne appréciait tant.

C'est dans les peintures d'un artiste du XVIᵉ siècle, Nicolas Poussin, que Cézanne avait appris à aimer la continuité. Pour lui, ce peintre était une sorte de pierre de touche : « Chaque fois que je quitte Poussin, aurait-il dit un jour, je me connais mieux. » Ce qui lui plaisait chez Poussin était la façon dont celui-ci organisait un tableau de sorte que chacune des parties fût équilibrée et qu'ainsi tout prît une importance égale contribuant à créer, sur la toile, une composition unique, sans solution de continuité. En insistant ainsi sur l'équilibre et la continuité de l'ensemble de la structure, Poussin personnifiait un idéal classique de la peinture. Comme Cézanne après lui, il comprenait l'importance de maintenir le tableau sur la surface de la toile. C'est sans aucun doute de lui que Cézanne a beaucoup appris en matière d'organisation de ses toiles en motifs rythmiques, grâce à la répétition et à la variation des formes.

Poussin, bien entendu, différait de Cézanne à beaucoup d'égards dont les deux plus importants sont le choix des sujets — « batailles, actions héroïques et manifestations divines », disait-il — et le travail en atelier plutôt qu'à l'extérieur. Lorsque Cézanne disait qu'il voulait « faire du Poussin d'après nature », il affirmait sa volonté d'appliquer la leçon des Impressionnistes sur l'observation directe de la nature à la méthode de composition classique revivifiée par Poussin.

Étant donné son aversion pour la perspective linéaire et la perspective aérienne et sa volonté d'unité bi-dimensionnelle de la toile, Cézanne devait trouver d'autres moyens d'évoquer la profondeur et la situation des masses dans l'espace. La première méthode à laquelle il parvint s'inspirait de deux phénomènes visuels simples — si un objet ou un plan en recouvre partiellement un autre, le premier est situé en avant du second par rapport à l'observateur ; les couleurs froides — les bleus et les verts — tendent à créer un effet d'éloignement, et les couleurs chaudes — les rouges, les orange, les jaunes — un effet de rapprochement. En exploitant les recouvrements de forme et la juxtaposition des plans de couleurs chaudes et ceux de couleurs froides, Cézanne réussit à réduire considérablement l'importance des lignes convergentes et divergentes tout en obtenant des effets de volume appréciables.

Par exemple, la profondeur des paysages impressionnistes est due à l'emploi d'une perspective linéaire tel le raccourci, la courbe d'un bord de rivière, et à la perspective aérienne dans laquelle les couleurs s'estompent à l'approche de l'horizon. Mais les grandes zones de couleurs se ressemblent en brillant et en force, et ne sont guère, par elles-mêmes, évocatrices d'espace. Par contraste, un paysage de Cézanne tel que la *Montagne Sainte-Victoire, vue de la carrière de Bibémus (pages 86-87)* abolit entièrement la perspective linéaire et aérienne et ne compte que sur les oppositions des couleurs chaudes et des couleurs froides, ainsi que sur le recouvrement des formes, pour suggérer la profondeur.

La merveille de cette « profondeur plate » (qui ressemble à ce que Seurat décrivait comme « l'art de creuser une surface ») est qu'elle fait apparaître en même temps la surface plane et la profondeur. A l'aide des répétitions et des gradations de couleurs, Cézanne arrivait à lier des objets situés à l'arrière-plan avec d'autres placés au premier plan, créant une impression simultanée de proximité et de distance qui, selon Lionello Venturi, est « l'un des miracles de l'art. »

Cézanne mit au point d'autres moyens de suggérer un monde à trois dimensions à partir d'une toile à deux dimensions, sans détruire l'unité de la surface. L'une des solutions — elle devait exercer une forte influence sur les peintres de la génération suivante — consistait à déplacer le niveau théorique de l'œil de l'observateur de sorte qu'un objet soit vu simultanément sous deux ou trois angles différents. Dans une peinture comme *la Nature morte au panier de fruits (pages 136-139)*, le panier et le pot de terre sont inclinés vers l'avant comme si on les voyait d'en dessus, tandis que leur face antérieure est peinte comme si chacune était vue de niveau. Cette façon de faire a pour curieux résultat de lier les deux formes plus étroitement à la surface plane du tableau et en même temps de souligner leur nature tridimensionnelle. Picasso, Braque, Matisse et d'autres ont utilisé le même procédé dans leurs vues multiples d'objets et de personnes; la technique donne à ces peintres une liberté inconnue des peintres naturalistes pour lesquels un miroir était le seul moyen de présenter différentes vues simultanées d'un même objet.

Comme autre moyen d'évoquer l'existence d'une troisième dimension, Cézanne avait mis au point un système qui lui permettait de suggérer la masse grâce à ce qu'il appelait une « modulation » de la couleur, qui s'opposait au contraste des ombres et des lumières du clair-obscur traditionnel. Il désirait éviter les conséquences inhérentes au clair-obscur, d'abord la rupture de la toile en zones de lumière et d'ombre et, aussi, la création d'effets sculpturaux exagérés qui finissent par faire des trous dans le tableau et par détacher certaines formes de sa surface. « Seul Courbet, aurait-il dit un jour, peut lancer du noir sur une toile sans la crever. » Les Impressionnistes, eux non plus, n'aimaient pas le clair-obscur, mais ils ne s'en sont débarrassés qu'aux dépens de la rigueur des formes.

Cézanne apprit qu'il pouvait lier les formes à la surface tout en leur donnant volume et rigueur s'il « modulait » ses couleurs à petits coups de brosse, passant des couleurs froides, surtout des bleus de valeurs différentes, à des couleurs chaudes lorsque le contour d'un objet émergeait de l'ombre dans la lumière.

Cézanne avait l'habitude de commencer par les contours extérieurs à l'ombre et de travailler vers l'intérieur, en direction des couleurs lumineuses et chaudes de l'objet lui-même. « Commencez légèrement et avec des tons presque neutres, conseillait-il. Puis progressez avec des couleurs de plus en plus intenses. » Ce principe impliquait à nouveau que les couleurs froides paraissent s'enfoncer tandis que les couleurs chaudes donnent l'impression d'avancer. Ainsi, au lieu de modeler dans des ombres et des lumières, Cézanne parvenait à peindre la rondeur d'une pomme en modulant ses couleurs du bleu au vert puis au jaune et, enfin, au rouge. De même pouvait-il moduler la coloration d'une manche de chemise du violet au gris en passant par le bleu et le vert.

Ainsi, la couleur, dans ses mains, n'était-elle pas le simple « ornement » de la forme qu'y voyaient Ingres et ses élèves, mais la véritable matière à partir de laquelle était créée la forme. Cézanne ne faisait aucune distinction entre le dessin et la couleur, croyant que l'artiste doit construire les formes tout en plaçant la peinture sur la toile. Plus il prend de soin à moduler ses couleurs, plus son dessin acquiert de précision. « Le secret du dessin et du modelé, faisait-il remarquer à Émile Bernard, réside dans les contrastes et les rapports de tons ». Cette importance accordée aux propriétés constructrices de la couleur place Cézanne non seulement à part des peintres académiques de son temps mais aussi des Impressionnistes qui utilisaient les couleurs divisées pour rendre les qualités de la lumière plutôt que pour évoquer des volumes.

Dans la méthode très complexe et pénible que Cézanne utilisait pour construire un tableau, la couleur jouait encore un autre rôle. Chaque coup de brosse faisait partie d'une « composition de couleurs » et devait être lié à tous les autres coups de brosse du tableau. En d'autres termes, il était impossible de n'accorder à la couleur qu'une fonction locale, comme certains peintres académiques le croyaient. Pour l'œil du spectateur, qu'il le comprît ou non, chaque couleur sur la toile était modifiée par chacune des autres couleurs, et le peintre ne devait jamais négliger cette connexité.

En bref, Cézanne avait trois objectifs essentiels à l'esprit lorsqu'il étalait ses couleurs : en premier lieu, donner à ses tableaux une profondeur au moyen du chevauchement des plans de couleurs et d'une exploitation des propriétés des rapports couleur froide/couleur chaude ; en deuxième lieu, donner de la rigueur aux objets par la « modulation » de la couleur ; en troisième lieu, créer un modèle solide à deux dimensions par la répétition des couleurs afin de lier sur le plan du tableau des objets situés à différentes profondeurs. Ensemble, ces objectifs rendent compte de l'éblouissante variété des couleurs que l'on trouve dans les œuvres peintes par Cézanne au cours de sa maturité.

Plusieurs personnes ont pu observer Cézanne à l'œuvre, bien qu'il n'eût consenti que rarement et sans enthousiasme à travailler devant témoins. D'après leur récit, d'après des toiles inachevées et d'après les lettres de Cézanne lui-même, nous en savons beaucoup sur ces méthodes de composition. Il peignait ses huiles ou ses aquarelles d'une façon qui lui appartenait exclusivement.

Peut-être ne saurait-on mieux la décrire qu'en parlant de mise en cause et de constant rétablissement des équilibres. Cézanne commençait par dessiner au crayon les contours extérieurs sombres — les zones d'ombre — des formes principales. D'un premier coup de crayon léger, il bouleversait l'équilibre de la toile vierge et devait le rétablir d'un autre coup — une diagonale dans une direction contrebalançant une diagonale dans une autre, ou une verticale compensant une horizontale. L'examen d'une œuvre abandonnée au cours d'un premier stade révèle que le rapport rythmique des masses principales était créé avant que les objets n'eussent atteint une forme reconnaissable.

En même temps qu'il esquissait ses contours, Cézanne commençait à placer près d'eux des touches de couleurs sans lien — un rouge là où devait figurer une pomme, un vert complétant le rouge contre le contour de ce qui deviendrait un vase. Il ne modulait pas simplement les formes par la couleur afin que les volumes émergent graduellement des contours ombrés, mais il édifiait aussi une composition de couleurs. La première touche de rouge devenait, en effet, la dominante de la composition ; à partir de ce moment, la composition prenait forme selon ce que Cézanne appelait la « logique de la couleur », mettant en cause un autre schéma complexe d'équilibre et de contre-équilibre — cette fois-ci de couleur et non de contour — sur toute la surface de la toile. Ceci explique pourquoi Cézanne ne s'arrêtait pas pour terminer une section ou un objet, mais faisait littéralement progresser « toute la toile en même temps. »

Le fait que la toile de Cézanne ait été animée d'un mouvement perpétuel de flux et de reflux, les grandes lignes s'étendant ou se contractant au fur et à mesure de l'apparition d'une structure plus précise des couleurs, signifie qu'il devait sans cesse rétablir les traits que recouvraient des couches de couleur. Il renforçait ses lignes disjointes par des hachures répétées que l'on ne trouve chez aucun autre peintre, et qui communiquent aux lignes une étrange vibration.

Cette méthode de composition était exceptionnellement lente. Cézanne restait parfois la brosse à la main pendant un quart d'heure ou plus, fixant sa toile sans y toucher, et il pouvait travailler quotidiennement pendant une semaine rien qu'à dessiner les contours ombrés de son motif et à placer quelques touches de couleur. Parfois, une composition l'occupait de façon intermittente pendant des mois, voire des années. Il repeignait beaucoup — plus de cent fois, pour certains tableaux — et son habileté à étaler couches sur couches de pigment tout en conservant l'impression de fluidité et de spontanéité a toujours étonné les critiques. « Je ne peux pas rendre ma sensation immédiatement, expliquait-il, aussi je remets de la couleur, et je continue d'en remettre du mieux que je peux ». (Par contre, s'il décidait soudain qu'il avait irrémédiablement bouleversé l'équilibre des couleurs, il abandonnait ou même détruisait le tableau sans égard pour son état d'avancement).

C'est indubitablement de Delacroix, plus que de tout autre, que Cézanne a appris à composer en couleurs. Delacroix cherchait comment construire ses tableaux grâce à des rapports de couleurs plutôt que par le tracé. Sa « division par couleurs » impliquait l'application côte à côte d'innombrables petites taches de couleur de sorte que rien ne semblât être d'une seule teinte ; la technique n'était que l'utilisation intensive de la technique de la couleur divisée que Rubens avait adoptée tard dans sa carrière. Bien que Cézanne eût sérieusement appris à peindre en touches de couleurs juxtaposées sous l'influence de Pissarro, il s'intéressait, contrairement aux Impressionnistes, au potentiel structurel de la couleur, et c'est Delacroix qui fut son meilleur modèle.

On a cru, un moment, que Cézanne était un primitif qui peignait presque entièrement d'intuition. En réalité, il fut probablement l'un des peintres les plus intellectuels et les plus conscients de son temps. Le résultat de ses méditations et de son assimilation des visions et des techniques des autres est une peinture puissante et pleine d'apparentes contradictions : sereine et pourtant pleine de tension — ou, comme Cézanne lui-même le disait, empreinte d'une « excitante sérénité » ; rationnelle mais chargée de sentiment ; lointaine mais indissolublement liée au réel. C'est une peinture dont, en fin de compte, le mouvement est virtuellement banni, car le mouvement implique le changement — le processus du devenir — et que le souci dominant de Cézanne était de créer un monde stable dans lequel les objets assumaient leur forme finale et essentielle.

Cézanne admirait tant Delacroix qu'il avait décidé de lui rendre hommage en peignant une *Apothéose de Delacroix*. Jamais exécuté, le projet nous a, cependant, valu deux dessins. Celui qui figure ci-dessus montre l'*Assomption* du peintre que des anges entraînent vers les cieux. Le premier plan est occupé par Cézanne, une canne à la main et Pissarro à son chevalet. Monet s'abrite sous une ombrelle tandis que l'amateur d'art Victor Chocquet applaudit la scène. Le chien qui aboie représente la critique hostile dont Delacroix n'a sans doute plus rien à craindre désormais.

La méthode du maître

Cézanne était un homme troublé, obsédé de passions sans accomplissement, hanté par le doute de lui-même. Et, comme beaucoup d'hommes tourmentés par un désordre interne, il déployait, par compensation, un ordre rigoureux dans sa façon de travailler. Il mit au point ce que l'on peut appeler un système, une méthode bien définie d'organisation de ses sensations visuelles de la réalité, et de transformation de celles-ci en peinture, rendant sa façon personnelle de regarder les choses. « En art, disait-il, tout est théorie, développée et appliquée au contact de la nature. » Mais la méthode de Cézanne était toujours librement unie à son intuition, et on aurait tort de croire qu'il suivait des règles rigides. Néanmoins, ses tableaux constituent de telles démonstrations de ses préceptes artistiques qu'un examen attentif de sa peinture révèle les théories qui l'étayent.

Le but de Cézanne était double. Il voulait peindre la nature de façon à révéler les structures fondamentales de celle-ci et leurs rapports dans l'espace. Rarement, il abandonna la réalité pour peindre d'après son imagination; rarement aussi, il s'abstint de créer une forme solide et bien équilibrée. Son second but était de transmettre un message non équivoque : ses tableaux étaient plats, c'étaient des toiles peintes, pas des imitations de la réalité. Pour parvenir à l'un comme à l'autre, Cézanne mit au point ses propres formules d'utilisation de la couleur et de présentation de formes géométriques, les combinant en une méthode de peinture à la fois complexe et magnifiquement simple, intellectuelle et hautement intuitive — une méthode qui nous a donné une vue originale de la nature.

Ce détail agrandi d'un paysage de Cézanne montre comment celui-ci créait des formes avec de la couleur au lieu d'en dessiner les contours. Des coups de brosse appliqués selon une disposition rigoureuse transforment la peinture en arbres, en maisons, en roches — la touche de blanc pur à gauche, au centre, devient un bateau à voile. Pour mettre en œuvre sa conviction qui fait du tableau une surface peinte et rien de plus, Cézanne a fait de l'eau une masse opaque, plate, bleue, presque aussi solide que la toile qui la supporte.

La Mer à l'Estaque, 1883-1885, détail

La Mer à l'Estaque, 1883-1885, détail

Ces deux peintures illustrent le remarquable principe de la « profondeur plate » cher à Cézanne, la création simultanée d'une sensation de profondeur et de planéité. Dans le tableau ci-dessus, par exemple, on aperçoit une chaîne de montagnes et le tracé de la côte au-delà d'un plan d'eau. L'impression de distance naît en partie de l'absence de détail sur la côte éloignée. Pour mieux faire ressortir la profondeur, Cézanne a procédé à des recouvrements de forme : sur le bord de la rive proche, des arbres mordent nettement sur l'eau; la cheminée, au centre, est évidemment plus près du spectateur que la tranchée du chemin de fer qui vient en travers. Mais, en même temps, Cézanne a fait apparaître la planéité de la toile en utilisant, sur la rive opposée, des couleurs franches et non brumeuses et en peignant par coups fermes pour que tout paraisse s'avancer. De même, son choix d'un bleu fort pour l'eau fait-il ressortir cette partie de la toile.

Dans le tableau à droite — c'est une œuvre postérieure —, Cézanne souligne plus encore la planéité bien qu'il n'ait jamais refusé la profondeur. La taille de la montagne et la rigueur de son tracé la font paraître plus proche. Mais, en utilisant des tons orange chauds pour les rochers au centre, Cézanne place ceux-ci en avant de la montagne. Ayant ainsi donné une impression de profondeur, il intègre le premier plan à l'arrière-plan grâce à des touches du bleu gris pâle de la montagne sur les arêtes des rochers apparaissant au centre du tableau, liant ainsi le proche et le lointain sur le plan de la toile.

La Montagne Sainte-Victoire, vue de la carrière de Bibémus, 1898-1900

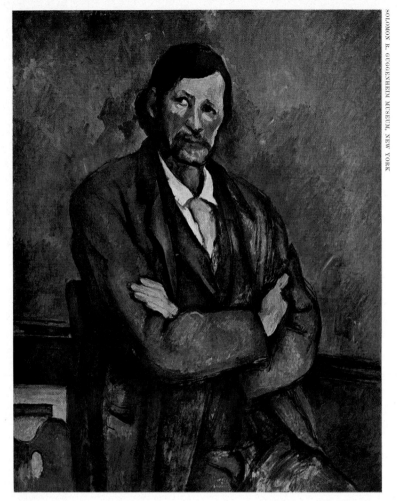

L'Horloger, 1895-1900

Si Cézanne peignait d'ordinaire d'après un modèle, il n'hésitait pas cependant à s'écarter de celui-ci pour organiser son tableau harmonieusement. Dans le portrait ci-dessus, par exemple, la tête de l'homme paraît trop petite par rapport au corps; et, dans le détail grandeur nature ci-contre à droite, le plan des yeux n'est, à l'évidence, ni dans l'axe du nez, ni non plus parallèle à la bouche. Dans la nature morte ci-dessous, Cézanne rompt à la fois l'alignement des bords antérieur et postérieur de la table, créant des lignes discontinues. Pareilles distorsions intervenaient souvent pendant que Cézanne construisait un tableau.

Corbeille de pommes, 1890-1894

Rochers — Forêt de Fontainebleau, 1894-1898

Pour Cézanne, il n'était pas nécessaire de dessiner des contours pour créer des formes. « Dessin et couleur, disait-il, ne sont pas des choses différentes. Lorsque vous peignez, vous dessinez. Plus l'on combine harmonieusement les couleurs, plus on fait apparaître clairement les contours. Lorsque la couleur atteint sa plus grande richesse, la forme atteint sa plénitude. » Au modelage traditionnel, qui consiste à assombrir et à éclairer d'une couleur « locale » un objet pour créer sa forme, Cézanne substitua ce qu'il appelait la « modulation », c'est-à-dire l'utilisation prudente de couleurs chaudes et froides pour placer des surfaces en position d'avancement ou de recul. Dans le détail ci-contre, par exemple, les ocres et les jaunes chauds en haut de la roche centrale élèvent cette zone au-dessus de l'environnement pourpre, plus froid. Des touches de brun rougeâtre sur la face frontale du rocher au premier plan du tableau ci-dessus paraissent le projeter en avant.

En fin de compte, pour conférer leur harmonie aux surfaces peintes, Cézanne utilisait la couleur d'une façon qui paraît souvent arbitraire. Certaines touches semblent déplacées — des taches de vert et de bleu sur la face verticale du grand rocher au centre du détail ci-contre, par exemple. Mais, grâce à cette emploi apparemment aléatoire de la couleur, Cézanne équilibrait l'ensemble de son tableau, répétant une couleur en un point parce qu'il l'avait utilisée en un autre, créant ainsi une toile rigoureusement ordonnée.

V

La retraite
en Provence

Michelangelo di Rosa, le sujet languissant de ce portrait de Cézanne, était un jeune Italien mélancolique qui posait pour des artistes à Paris. Cézanne, méfiant comme il le fut toute sa vie à l'égard des étrangers, employait rarement des modèles. Le caractère placide de di Rosa sembla, cependant, plaire à l'artiste, car il peignit trois autres huiles et une aquarelle du garçon vêtu chaque fois de son gilet rouge.

Garçon au gilet rouge, 1888-1890

Peintre, Cézanne, à quarante ans, parvenait à maturité mais il demeurait émotionnellement instable et socialement inadapté. Son originalité s'accentuait, sa concentration sur la peinture devenait plus intense. Pourtant, son œuvre demeurait inconnue, même aux membres du groupe des Batignolles. « Nous avions l'habitude d'entendre parler de lui », rappelle le critique et romancier irlandais George Moore dans ses *Réminiscences*. « Il hantait d'ordinaire les environs de Paris, parcourant les collines en galoches. » Mais Moore ne se souvient pas d'avoir rencontré Cézanne. « C'était une créature trop rude, trop sauvage qui n'apparaissait que rarement à Paris. »

En 1879, Moore passait une bonne partie de son temps au café La Nouvelle-Athènes — qui avait succédé au Guerbois comme point de ralliement du cercle de Manet — et notait ses impressions sur les peintres qu'il y rencontrait. Cézanne, remarquait-il, ne comptait pas parmi eux.

Les nouvelles qui venaient de lui arrivaient, pour la plupart, par Monet, Renoir et Pissarro, les seuls à le voir assez régulièrement. Bien que tous les trois eussent été de tempéraments très différents — Pissarro était d'une patience angélique, Monet très énergique, Renoir gai et de bonne compagnie —, ils portaient une appréciation commune sur l'importance artistique de Cézanne et toléraient sa personnalité difficile. Ils restèrent ses amis et ses soutiens pendant plus de trente ans.

Longtemps après qu'il eut appris ce que pouvait lui enseigner Pissarro, Cézanne continua à travailler avec lui, en particulier pendant les étés de 1877 et de 1881 à Pontoise. Renoir et Monet rendaient, à l'occasion, des visites à leur ami en Provence. Renoir se souvenait de l'une d'elles en 1882, avec un plaisir particulier, bien qu'il y eût contracté une pneumonie en travaillant dehors avec Cézanne : « Je ne peux pas vous dire à quel point Cézanne a été gentil à mon égard », écrivait-il à Chocquet. « Il voulait me donner toute sa maison. » La mère de Cézanne, ajoutait-il, lui avait préparé « un ailloli qui est, je crois, la véritable ambroisie des dieux. »

Pendant ce voyage, Renoir remarqua que Cézanne abandonnait parfois, au milieu des rochers, des œuvres dont il n'était pas satisfait — à la vérité, il les jetait sur le sol là même où il était en train de peindre. Dans les collines qui surplombaient l'Estaque, Renoir tomba un jour sur une « magnifique aquarelle de Cézanne, des *Bai-*

gneuses. » Cézanne l'avait jetée là, Renoir le rappelait plus tard, « après vingt séances de travail. »

Pareilles histoires étaient tout ce que George Moore et la plupart des autres habitués du café La Nouvelle-Athènes connaissaient de Cézanne qui, pendant ses séjours à Paris, ne voyait presque personne. La plupart du temps, il vivait en Provence. Entre l'automne de 1882 et l'été de 1885, il la quitta à peine, travaillant soit à Aix, où il séjournait avec sa famille au Jas de Bouffan, soit à l'Estaque, où il vivait avec Hortense et le jeune Paul dans « une petite maison avec un jardin, juste au-dessus de la gare. » Il raconta à Zola que sa mère était venue lui rendre visite, ce qui semble indiquer que Mme Cézanne avait accepté la liaison de son fils plus facilement que ne l'avait fait le reste de la famille.

Parmi les rares occasions qui lui firent quitter le Midi, on compte, en mai 1883, un déplacement à Paris pour assister aux funérailles de Manet, mort d'une gangrène de la jambe. La plupart des peintres du vieux groupe des Batignolles, y compris Renoir et Pissarro, étaient là pour un dernier adieu à l'homme qui avait été leur guide spirituel.

I l est curieux de constater que, au moment de la mort de Manet, Cézanne commençait à concentrer ses efforts sur les natures mortes. L'intérêt qu'il y portait avait été d'abord stimulé par la maîtrise dont Manet faisait preuve dans les siennes, pleines d'harmonie tranquille, de noir, de gris et de blanc, et peut-être par la louange que celui-ci avait accordée à quelques natures mortes de Cézanne près de vingt ans auparavant.

Cézanne a peint des natures mortes pendant toute sa carrière — à la vérité c'est son originalité, parmi les grands artistes, d'avoir également cultivé la nature morte, le paysage et le portrait — mais c'est entre 1883 et 1895 qu'il concentra son attention sur les premières ; 59 d'entre elles datent de ces années.

Si Manet fut le premier à encourager l'enthousiasme de Cézanne pour la nature morte, l'artiste qui exerça le plus d'influence sur celui-ci, dans ce domaine, pendant les années de sa maturité, fut Jean-Baptiste Chardin. L'intérêt porté par Cézanne au maître français du XVIIIe siècle se trouva stimulé, en 1869, lorsque le Louvre acquit douze peintures de Chardin ; le respect de Cézanne pour ce dernier ne fit que croître avec l'âge. « Ce peintre », écrivait-il à Émile Bernard quelques années avant de mourir, « c'est un roublard. »

A première vue, Chardin et Cézanne ont peu en commun. Les sujets des natures mortes de Chardin ont trait à la cuisine et aux activités ménagères ; celles de Cézanne non. En outre, le souci de Chardin pour la texture — la fourrure souple du lapin, la peau brillante du raisin — introduit dans ces natures mortes ces harmoniques que Cézanne désirait précisément éviter. Mais la construction solide de Chardin impressionnait profondément Cézanne. Le poids de ses masses, l'étroitesse des liens tissés entre les différentes parties de ses toiles, donnaient à Cézanne une vue nouvelle des possibilités de la nature morte.

Le jeune peintre Louis Le Bail a laissé une description révélatrice de Cézanne à l'œuvre devant une nature morte ; en 1898, sur le conseil de Pissarro, il avait rendu visite à Cézanne pour lui présenter ses respects. Le Bail regarda le maître tandis qu'il arrangeait les objets qu'il allait peindre — des pêches, des serviettes, un verre de vin. Son habitude, Le Bail le rappelait plus tard, était d'incliner les objets en avant, vers le plan du tableau. « Le tissu était légèrement drapé sur la table,

Si irascible qu'il fût, Cézanne était un père remarquablement tolérant qui, à l'occasion, permettait à son fils Paul de griffonner sur son carnet de croquis. A l'âge de huit ans, Paul copia un paysage dessiné par son père *(en haut)*, dans un cahier de celui-ci. Le gribouillis qui en résulta *(ci-dessus)* ne fut guère prometteur et Paul eut la sagesse de ne pas se mettre à peindre.

avec un goût inné », écrivait-il. « Cézanne plaçait alors les fruits, contrastant les tons, faisant vibrer les couleurs complémentaires, les verts contre les rouges, les jaunes contre les bleus, touchant, tournant les fruits, les faisant tenir comme il le désirait grâce à des pièces de un ou deux sous... ».

Ceci laisse penser que Cézanne — à l'opposé de ce que faisaient la plupart des peintres de natures mortes — ne se donnait aucun mal pour cacher la nature artificielle de ses sujets. Par exemple, dans la nature morte *la Corbeille de pommes (page 88)*, il a peint un panier qu'il a soigneusement incliné en l'appuyant sur un morceau de bois, et une assiette de biscuits qu'il a placée sur un livre pour lui donner de la hauteur. L'arrangement est évidemment une invention de l'artiste. On dirait que, dans ses natures mortes, Cézanne a délibérément insisté sur la nature artificielle des compositions pour détourner l'attention du sujet et le concentrer sur la disposition des couleurs et des formes. Avant Cézanne, les peintres de natures mortes faisaient, au contraire, de grands efforts pour camoufler l'artifice.

L'attention que Cézanne apportait à la mise en place de ses sujets était aussi caractéristique de sa façon de les peindre. Souvent, il passait des mois sur une seule œuvre. Le geste héroïque de Cézanne tentant, sans résultat, de peindre un bouquet de roses s'inscrit dans une série de notes adressées à Ambroise Vollard. Le 23 janvier 1902, le peintre écrivait : « Je continue à travailler le bouquet de fleurs, ce qui me conduira sans doute jusque vers le 15 ou le 20 février. » Au début d'avril, il écrivait de nouveau : « Je me vois dans l'obligation de remettre l'expédition de la toile de vos *Roses* à une époque ultérieure... D'autre part, je ne renonce pas à continuer mon étude, qui m'aura obligé a des efforts qui, j'aime à le croire, ne seront pas stériles. » Enfin, en janvier 1903, il annonçait : « J'ai dû lâcher vos fleurs... » Et il ajoutait tristement, avec cette note de mécontentement qui court comme un leitmotiv dans ses lettres « ... dont je ne suis pas bien content. »

Les matériaux qu'il utilisait dans ses natures mortes n'étaient ni variés ni somptueux. C'étaient des choses familières, sans prétention et du solide ; à l'exception des nappes richement drapées pour donner de l'intensité dramatique à certaines de ses œuvres, il choisissait plutôt des formes plastiques simples. Joyaux, belles porcelaines, velours, toiles de fil ou soies de prix ne l'intéressaient pas. Il peignait des pommes, encore et toujours. Il aimait bien aussi les pêches, les poires, les oranges, les citrons et les oignons. Au milieu d'eux, il plaçait quelques objets ordinaires de forme simple — des pots, des cruches, des bouteilles, des bols, des plats, des verres et des assiettes. C'étaient là les matériaux essentiels des compositions de Cézanne.

L'atmosphère des natures mortes peintes par Cézanne au cours des années 1880 et au début des années 1890 va de l'exubérance opulente des *Pommes et oranges (page 135)* à la gravité tranquille de *Oignons et bouteille (page 134)*. La plupart d'entre elles fourmillent de contradictions optiques. Dans les *Pommes et oranges*, par exemple, les pommes reculent vers la draperie chargée de l'arrière-plan tandis que celle-ci, du fait des liens de couleur existant entre elles et le pichet, les fruits, la nappe et ce que l'on voit de la table en dessous d'elle, s'avance jusqu'au premier plan. Le résultat en est une composition qui donne un sens de la profondeur tandis qu'il assume néanmoins certaines des caractéristiques d'un modèle plat.

La structure de ce modèle en surface était si importante pour Cézanne qu'il n'hésitait pas à altérer la vision conventionnelle lorsqu'il avait l'impression que la composition le demandait. C'est pour cela que les bouteilles sont asymétriques et que le pied du verre n'est pas dans l'axe dans la nature morte avec *la Bouteille de Peppermint (page 134)*. Bien que Cézanne eût souvent tiré des traits si droits qu'ils donnent l'impression d'avoir été faits à la règle, il lui arrivait aussi — s'il avait l'impression de contribuer à faire naître les poussées et les contre-poussées qu'il désirait — de courber les lames d'un parquet ou d'interrompre le bord d'une table par une serviette pendante pour le reprendre un peu plus loin à un niveau différent, comme c'est le cas dans *la Table de cuisine (pages 136-137)*.

Il est peu probable qu'il ait introduit ces accidents consciemment. Cézanne savait très bien s'expliquer sur son travail et il parlait souvent stylistique, pour ce qui concerne la modulation des couleurs, à Bernard et à d'autres. Mais il n'a jamais mentionné les déformations et, probablement, celles-ci étaient-elles involontaires et instinctives. Délibérées ou non, elles découlaient à l'évidence du désir de Cézanne d'apporter des équilibres rythmiques dans la composition et de donner à l'œuvre le drame et l'unité qu'elle méritait selon lui.

Dans la nature morte, Cézanne ne parvint à la maturité de son style, tel qu'il apparaît dans ses œuvres du début des années 1890, que lentement et, comme en tout, au prix d'un effort pénible. A la vérité, peu d'artistes ont accordé à la nature morte autant d'importance que Cézanne le fit; et beaucoup moins encore ont exercé autant d'influence sur elle. C'est en grande partie grâce à son exemple, et à un moindre degré à celui de Manet, que la peinture française s'est progressivement détournée du paysage — intérêt dévorant au XIX\ :e\ : siècle — pour s'orienter vers la nature morte. Dans les tableaux des Cubistes et des autres artistes modernes, elle a regagné une place prééminente.

Dans toutes les natures mortes de Cézanne existe une qualité éloquente qui dépasse la technique et échappe à toute définition. Rilke remarquait que les natures mortes l'émouvaient parce que Cézanne « les avait forcées à donner une signification à l'univers » — leur avait fait exprimer les oppositions, les harmonies et les contrastes du monde réel. Roger Fry disait plus simplement qu'elles étaient des « drames dépourvus de tout incident dramatique. »

Le premier peintre qui découvrit l'importance de ce que faisait Cézanne dans le domaine de la nature morte fut peut-être Gauguin. Un jour, vers 1885, il acheta à Tanguy *la Nature morte au compotier* et lui voua une admiration si extravagante qu'en 1888 il refusa de la vendre bien qu'il fût très pauvre à l'époque. « Je ne m'en séparerai qu'après avoir vendu ma dernière chemise », écrivait-il. Il la peignit dans son *Portrait de Marie Derrien*, en 1890, et, onze ans plus tard, Maurice Denis l'introduisit dans son *Hommage à Cézanne (page 176)*.

L'admiration de Gauguin pour les natures mortes de Cézanne et les autres œuvres de celui-ci qu'il voyait chez Tanguy le poussa à faire de leur auteur cette description fameuse : « Voyez Cézanne », insistait-il dans une lettre adressée à son ami Schuffenecker, en 1885, « l'incompris, la nature essentiellement mystique de l'Orient (son visage ressemble à un ancien du Levant), il affectionne dans la forme un mystère et une tranquillité lourde de l'homme couché pour rêver, sa couleur est grave comme le caractère des Orientaux ; homme du Midi, il passe des journés entières au sommet des montagnes à lire Virgile et à regarder le ciel. Aussi ses horizons sont élevés, ses bleus très intenses et le rouge chez lui est d'une vibration étonnante. » En termes moins lyriques, il disait parfois lorsqu'il se mettait à peindre : « Allons faire un Cézanne ».

Au printemps de 1886, Cézanne épousa Hortense Fiquet. Pourquoi, nous n'en savons rien. On a supposé que sa mère et sa sœur désiraient qu'il régularisât sa liaison avec elle et, sans doute, ont-elles usé de leur influence sur Louis-Auguste pour qu'il en vienne à consentir au mariage. Probablement, Cézanne lui-même était-il désireux de légitimer son fils Paul pour lequel il avait beaucoup d'affection. Et le mariage peut aussi avoir été précipité par un autre facteur, plus déconcertant — l'attachement que Cézanne aurait eu pour une autre femme au début de 1885.

On sait très peu de choses sur ce qui se passa réellement. On ignore même de qui il s'agissait. Étant donné l'imagination vivace de Cézanne, il n'est pas impossible que toute l'affaire ait surtout existé dans son esprit. La preuve tangible la plus importante est constituée par un fragment de lettre, griffonné sur le dos d'un dessin de la main de Cézanne : « Je vous ai vue et vous m'avez permis de vous embrasser ; à partir de ce moment un trouble profond n'a pas cessé de m'agiter. Vous excuserez la liberté de vous écrire que prend envers vous un ami que l'anxiété tourmente. Je ne sais comment vous qualifier cette liberté que vous pouvez trouver bien grande, mais pouvais-je rester sous l'accablement qui m'oppresse ? Ne vaut-il pas mieux encore manifester un sentiment que de le cacher ?... Je sais bien que cette lettre dont l'envoi hasardeux et prématuré peut paraître indiscret n'a pour me recommander à vous que la bonté de... » Et le fragment s'arrête ici, sans tenir sa promesse.

Certains biographes ont avancé l'idée que l'objet de cette adoration était une nommée Fanny qui travaillait comme servante dans la maison du père de Cézanne et dont le peintre admirait particulièrement le physique robuste. Mais il n'y a guère de preuve en faveur de cette hypothèse ; on ne sait même pas si la lettre a été envoyée. Pourtant, Cézanne alla jusqu'à demander à Zola de lui servir d'intermédiaire en lui faisant suivre des lettres au bureau de poste de La Roche-Guyon où il se rendit, avec Hortense et Paul, en 1885, chez Renoir et la femme de celui-ci.

Cézanne était à l'évidence très partagé dans ses sentiments. « Ou suis-je fou, ou très sensé », écrivait-il à Zola. « *Trahit sua quemque voluptas* ». (« Chacun a son propre désir pour guide »). Il négligea néanmoins d'aller chercher son courrier à La Roche-Guyon ; d'ailleurs, rien ne prouve que des lettres lui aient été envoyées. Au mois d'août, il était de retour à Aix d'où il écrivait à Zola « ... mais des grumeleaux, qui sont sous mes pas, et qui me sont des montagnes... » Il se plaignait des interventions de sa famille, mais il paraît évident qu'il était lui-même sérieusement troublé par la perspective d'une aventure — que celle-ci ait été réelle ou imaginaire. Dans une autre lettre à Zola, il annonçait l'échec de cette tentative pathétique d'affirmation de sa liberté sexuelle : « ... d'ailleurs, pour moi, l'isolement le plus complet. Le bordel en ville, en outre, mais rien de plus. Je finance, le mot est sale, mais j'ai besoin de repos et, à ce prix, je dois l'avoir. »

Cette aventure amoureuse avortée a beaucoup troublé Cézanne ; il semble qu'il n'ait pas terminé une seul tableau entre mai et août 1885 —

le seul hiatus dont nous ayons connaissance dans sa production, au cours de toute sa carrière. Mais l'aventure, comme ses conséquences, fut de courte durée. A la fin du mois d'août 1885, Cézanne pouvait écrire à Zola : « Je commence à peindre parce que je vis presque sans trouble. »

Le 28 avril 1886, Cézanne épousa Hortense à l'hôtel de ville d'Aix. La cérémonie religieuse eut lieu le lendemain à l'église Saint-Jean-Baptiste. Trois mois plus tard, le père de Cézanne mourait laissant à son fils alors âgé de 47 ans une indépendance financière qu'il connaissait pour la première fois de sa vie. « Mon père était un homme de génie », disait Cézanne. « Il m'a laissé un revenu de 25 000 francs. » Cézanne en garda un tiers pour lui et en donna les deux tiers à sa femme qui alla s'installer à Paris avec le jeune Paul — alors âgé de 14 ans — et ne vécut plus désormais qu'occasionnellement avec son mari.

Si Hortense n'a pas été la femme qui convenait à Cézanne, elle a été pour lui un modèle apprécié. Avant et après leur mariage, il fit plus de 40 portraits d'elle, plus qu'il n'en fit de personne d'autre. A côté des paysages et des natures mortes, Cézanne a toujours exécuté des portraits, depuis le premier qu'il fit de son père au début des années 1860. Mais ceux-ci comme une bonne partie de son œuvre n'ont rien de classique. La plupart d'entre eux partagent une caractéristique frappante : ils sont si peu ressemblants que l'on ne dirait pas des portraits. Les trois tableaux qui portent le titre de *Madame Cézanne au fauteuil jaune*, par exemple, non seulement ne nous disent rien sur la personnalité du modèle mais ne semblent même pas être des études de la même personne — et ceci malgré le fait qu'ils furent probablement peints au cours d'un intervalle de trois ou quatre ans seulement.

Peut-être a-t-on beaucoup trop fait cas de l'impersonnalité des portraits de Cézanne, mais il est néanmoins exact qu'un spectateur qui les voit pour la première fois est souvent frappé par la rigidité des poses et leur manque apparent d'expression. Les sujets sont quelquefois de face, les bras pendant symétriquement de chaque côté du corps ou les mains jointes sur les cuisses; inertes et résignés, ils font penser aux personnages blafards dont on voit les regards fixes sur de vieux daguerréotypes. Leur manque de personnalité se reflète dans leurs vêtements, qui n'ont pas d'âge et qui montrent que Cézanne n'accordait pas grand intérêt à la mode.

L'un des plus éminents admirateurs du style impersonnel des portraits de Cézanne, Henri Matisse, possédait, entre autres peintures à l'huile et aquarelles, un puissant *Portrait de Madame Cézanne*, datant de 1885-1887. Matisse aurait pu parler à la place de Cézanne lorsqu'il écrivit dans ses célèbres *Remarques d'un peintre* de 1908 : « L'expression, à mon avis, ne consiste pas dans la passion reflétée par un visage humain ou trahi par une attitude violente. La disposition d'ensemble de mon tableau est expressive. La place occupée par les personnages ou par les objets, les proportions, tout joue un rôle. » Un portrait, en d'autres termes, n'est pas différent d'une nature morte, un paysage ou une scène à plusieurs personnages; il doit se présenter comme une composition plastique unifiée, et son sujet n'est pas plus important que son arrière-plan. De là découle l'impersonnalité des portraits de Cézanne. Il n'investit ses sujets que d'un minimum d'existence végétive; pour autant qu'il le puisse, ce sont des structures géométriques dans l'espace.

Après Hortense, c'est lui-même que Cézanne peignit le plus souvent — il a laissé plus de 35 portraits de lui d'espèces différentes. Ceux-ci, avec les tableaux où figure Hortense, représentent à peu près la moitié des portraits qu'il peignit pendant sa maturité. Mais les deux œuvres qui ont, pendant la vie de Cézanne, le plus attiré l'attention sur celui-ci et qui ont exercé l'influence la plus importante sur les peintres qui vinrent après lui, sont ses deux premières études de Victor Chocquet, le collectionneur *(pages 70-71)*.

Lorsque le premier portrait, une étude de la tête, fut accroché à l'exposition impressionniste de 1877, le critique Louis Leroy, écrivant dans *le Charivari*, conseillait aux femmes enceintes de ne pas s'attarder devant « cette très étrange tête, couleur de revers de bottes » de peur qu'elle ne donnât la fièvre jaune à l'enfant à naître. Leroy était choqué par les étrangetés que Cézanne introduisait dans la couleur. La figure de Chocquet est d'une teinte jaunâtre avec des touches de rouge ; ses cheveux sont à dominante bleue, avec des points lumineux gris-vert ; la barbe est parsemée de touches de vert et de bleu. Cela ressemblait très peu au modèle — ce que tous les visiteurs de l'exposition pouvaient constater sans difficulté, puisque Chocquet lui-même était là tous les jours pour défendre le portrait et louer son auteur.

Le second portrait de Chocquet, qui le montre assis dans un fauteuil, heurta tout autant les contemporains de Cézanne, et pour les mêmes raisons. L'objectif de l'artiste dans cette toile solide à l'aspect de mosaïque était évidemment de contraindre toutes les formes, quel que soit leur étagement théorique en profondeur, à jouer un rôle dans le modèle en surface. Rien, en conséquence, n'est placé dans un plan qui lui soit propre. Au contraire, en liant les couleurs et les formes d'un plan avec celles d'un autre, Cézanne a presque créé l'impression d'un plan unique vertical à la surface du tableau. Le tapis, le plancher, le mur, Chocquet lui-même — rien n'est en avant par rapport au reste.

Ce sont, bien entendu, les mêmes procédés que Cézanne utilisait dans ses natures mortes. Si leur application aux portraits était encore plus discutée, c'est parce que les spectateurs avaient du mal à comprendre un portrait dans lequel un mur avait la même complexité de couleurs et de mouvements qu'un visage. Mais les artistes sérieux trouvèrent impossible, après Cézanne, de voir la figure sans voir le mur — et, avec celui-ci, les tapis, les draperies, les plantes en pots et l'ensemble du dispositif de formes et de couleurs au milieu duquel se trouvait leur sujet.

Poser pour Cézanne était une rude épreuve, parce qu'il était irritable et demandait à ses modèles de rester immobiles très longtemps. Ceci explique le grand nombre de portraits qu'il peignit de lui-même et d'Hortense, qui avait non seulement l'avantage d'être là mais aussi d'être d'un naturel placide. Il utilisait rarement des modèles professionnels, bien que l'un d'entre eux lui ait beaucoup plu, un jeune homme du nom de Michelangelo di Rosa dont Cézanne fit quatre portraits à l'huile et un à l'aquarelle. Les cinq tableaux, probablement exécutés aux environs de 1890 à Paris, sont connus sous le nom de *Garçon au gilet rouge (page 92)* et comptent parmi ses œuvres les plus belles et les plus connues.

A l'occasion, Cézanne essayait de faire le portrait d'amis mais les résultats étaient souvent très décevants pour lui. Il aima assez les portraits de Chocquet pour les terminer, mais ce ne fut pas le cas de

Cette caricature n'est que l'une des nombreuses moqueries publiques qui accablèrent l'exposition des Impressionnistes en 1877. Elle rappelle une critique sarcastique qui conseillait aux femmes enceintes de s'écarter du portrait couleur moutarde que Cézanne peignit de Victor Chocquet parce qu'il aurait pu avoir un effet désastreux sur les enfants à naître. La légende du dessin fait dire au sergent de ville alarmé, « Mais Madame, il ne faut pas entrer. Passez votre chemin ! »

celui d'un autre ami et client, Gustave Geffroy. Écrivain et critique distingué, Geffroy était aussi directeur de la Manufacture nationale des Gobelins.

Geffroy avait rencontré Cézanne à l'automne de 1894 et, s'étant pris d'un grand intérêt pour l'œuvre de celui-ci, avait bientôt rejoint le petit groupe des critiques qui le soutenait. (Il écrivit avec assez de justesse qu'un seul *Garçon au gilet rouge* pouvait « supporter la comparaison avec les plus beaux personnages de la peinture. ») Cézanne, pour sa part, conçut le projet de faire le portrait de Geffroy. En avril 1895, alors qu'il habitait rue Bonaparte à Paris, il écrivit à Geffroy pour lui demander un rendez-vous et signa d'une façon assez mystérieuse, « Paul Cézanne, peintre par inclination. » Il s'ensuivit trois mois de séances quotidiennes dans l'atelier de Geffroy. En fin de compte, Cézanne fit soudainement reprendre ses couleurs et son chevalet, déclarant qu'il n'en pouvait plus et devait abandonner le tableau. Geffroy le persuada de continuer mais, après une semaine de plus, Cézanne partit brusquement pour Aix et son travail en resta là.

Pareil mécompte l'attendait à nouveau lorsqu'il essaya de faire le portrait d'un autre homme qui aimait son art, Ambroise Vollard. Celui-ci, originaire de la Réunion, était venu à Paris en 1890 pour y faire une carrière de juriste. Il se prit de passion pour le monde artistique et s'intéressa aux possibilités de gagner de l'argent en pratiquant le commerce des tableaux. Au début, il ne connaissait pas grand-chose à l'art, mais fut assez perspicace pour demander l'avis de gens compétents, tels Pissarro et Renoir. Il apprit vite, et bientôt sa petite galerie remplaça la boutique de Tanguy comme vitrine de l'art moderne. Il s'intéressait particulièrement à l'œuvre de Cézanne, et déploya des efforts particuliers pour gagner la confiance de l'artiste — et il y parvint malgré la nature soupçonneuse de Cézanne. Celui-ci s'attacha vite à lui (des années plus tard, il écrivait à un ami, « Je suis heureux d'apprendre que vous estimez Vollard, qui est à la fois sincère et sérieux »), et Vollard joua bientôt un rôle majeur en faisant connaître Cézanne au monde entier.

Vollard n'était pas homme à laisser la vérité l'emporter sur le sel d'une bonne histoire; aussi ne faut-il pas prendre à la lettre la façon dont il rend compte de la première séance de pose pour le portrait que Cézanne fit de lui. Selon Vollard, Cézanne le fit asseoir sur une chaise perchée sur une malle endommagée. Voulant plaire au peintre en restant parfaitement immobile, Vollard s'endormit, perdit l'équilibre et tomba du haut de la malle. « Malheureux! » s'écria Cézanne, « vous avez perdu la pose! »

Pendant 115 séances, selon Vollard, Cézanne peina pour exécuter le tableau que l'on peut voir en page 160. En fin de compte, comme pour le tableau de Geffroy, il abandonna en désespoir de cause, reconnaissant seulement qu'il « n'était pas mécontent du plastron de la chemise. »

Bien que Geffroy ait eu du mal à comprendre un homme qui travaillait trois mois sur un portrait pour l'abandonner ensuite et s'enfermer chez lui, il n'aurait pas dû être entièrement surpris par le comportement erratique de Cézanne. La première fois qu'ils se rencontrèrent en 1894, Cézanne venait de démontrer à quelles étranges manières il pouvait se livrer. Il demeurait à l'époque dans une auberge près de chez Monet, à Giverny. Il semblait évident à Monet que Cézanne avait besoin d'acquérir confiance en soi, aussi tenta-t-il d'y aider en l'invitant à un déjeuner auquel participaient Geffroy, Auguste Rodin, le romancier et auteur dramatique Octave Mirbeau, le journaliste homme politique, futur président du Conseil, Georges Clemenceau. « J'espère que Cézanne sera toujours ici et qu'il viendra déjeuner avec nous », écrivit Monet à Geffroy. « Mais il est si bizarre, si effrayé de voir des figures nouvelles, que je crains qu'il ne nous laisse tomber... Quelle tragédie que cet homme n'ait pas rencontré plus de soutien pendant sa vie! C'est un véritable artiste qui doute trop de lui-même. »

Cézanne vint bien à ce déjeuner et s'y montra très joyeux — à la vérité trop joyeux. Il rugissait aux plaisanteries de Clemenceau, déclarait, les larmes aux yeux, à Mirbeau et à Geffroy que Rodin lui avait serré la main et, après le déjeuner, dans le jardin, tomba aux pieds de celui-ci pour lui exprimer sa gratitude.

Monet eut néanmoins la témérité d'offrir un second déjeuner — cette fois-ci, de façon expresse, en l'honneur de Cézanne. Il invita Renoir et Sisley, entre autres, et, au début du repas, se leva pour exprimer l'admiration que tous ressentaient pour Cézanne. « Vous aussi vous vous moquez de moi », répliqua Cézanne en colère, et il se leva brusquement, quitta la table, la maison et le village de Giverny. Lorsque Monet reçut des nouvelles de lui, il était de retour à Aix.

La conduite de Cézanne n'était pas toujours aussi grossière. Pendant le séjour qu'il fit à Giverny en 1894, l'année où il rencontra Geffroy, il fit la connaissance d'une Américaine, Mary Cassatt, peintre elle aussi. Fille d'un riche banquier de Pittsburgh, elle s'était vouée à la peinture contre le gré de ses parents et s'était établie à Paris où elle bénéficiait de la protection de Manet et de Degas. Miss Cassatt s'intéressait à Cézanne en qui elle voyait une « célébrité » et « l'inventeur de l'Impressionnisme ». La première opinion, déplaisante, qu'elle eut de lui se modifia après qu'elle eut passé quelque temps en sa compagnie, comme elle l'écrivait à un ami américain : « J'ai découvert plus tard que je l'avais mal jugé sur ses apparences, car ce n'est ni un être féroce ni un coupe-jarret, mais la plus gentille des natures, il est comme un enfant, comme il dit. Ses manières m'ont d'abord surprise — il râcle son assiette de soupe puis verse les gouttes restantes dans sa cuiller; il lui arrive même de prendre une côtelette à la main et de mordre dans la viande. Il mange avec son couteau et accompagne chaque geste, chaque mouvement de la main, de cet ustensile dont il se saisit fermement au début du repas et ne se sépare pas tant qu'il n'a pas quitté la table. Pourtant, malgré ce mépris complet pour le manuel des bonnes manières, il manifeste à notre égard une politesse qu'aucun homme n'a jamais eue. Il ne permet jamais à Louise de le servir avant nous selon l'ordre habituel de la table; il est même déférent à l'égard de la stupide servante, et il retire le vieux feutre qu'il porte pour protéger son crâne chauve lorsqu'il entre dans la pièce...

« La conversation au déjeuner comme au dîner roule principalement sur l'art et la cuisine. Cézanne est l'un des artistes les plus libéraux que j'aie jamais rencontrés. Il fait précéder chacune de ses remarques de : Pour moi il en va ainsi, mais il reconnaît que chacun peut être honnête et fidèle à la nature, selon ses convictions; il ne croit pas que chacun doive voir les choses de la même façon... »

C'était à l'évidence considérer Cézanne sous son meilleur jour et nous donner une idée de ce que Pissarro voulait dire lorsqu'il parlait du « beau tempérament » de son vieux compagnon de peinture à Pontoise.

« Une pomme bouge-t-elle ? »

Si l'on considère l'inaptitude notoire de Cézanne à s'entendre avec les autres, il est surprenant qu'il ait tant voulu les peindre. Mais, s'il le fit, ce fut parfois au prix de grandes peines pour ses modèles. Lorsqu'il exécutait des portraits, par exemple, les obligations que ses colères imposaient souvent à ses modèles rendaient les séances de pose douloureuses. Ceux-ci installés, il les voulait figés sur place et exigeait qu'ils demeurassent des heures immobiles comme les sujets d'une nature morte. S'ils s'agitaient et faisaient jouer leurs muscles atteints de crampes, Cézanne aboyait, « Une pomme bouge-t-elle? »

Aux yeux de Cézanne, en effet, le tête d'un homme, comme une pomme, n'était rien de plus qu'un point de départ géométrique convenant à une composition dans laquelle chaque élément — humain ou non — faisait l'objet d'un même respect et d'une attention égale. Le résultat, c'est que les portraits brillants et non conformistes de Cézanne ont pour trait le plus frappant une absence complète d'émotion et de personnalité.

Cézanne a aussi manifesté son intérêt pour les visages humains dans des compositions représentant des groupes de personnages. Certaines de ses études portent sur de petits groupes, comme la fameuse série des joueurs de cartes; d'autres, et en particulier ses baigneuses, comptent plus d'une douzaine de personnages. Dans les œuvres qu'il peignit plus tard, Cézanne avait un but bien défini, car il cherchait à intégrer deux modes d'expression artistique — peinture de personnages et peinture de paysage; c'est un objectif qu'il atteignit magnifiquement tout à la fin de sa vie avec *les Grandes baigneuses* (pages 114, 115).

Une page du carnet de dessins de Cézanne illustre trois de ses façons de peindre le corps et le visage humains. Le nu a été exécuté d'après une statue de Psyché abandonnée par Pajou au Louvre; en haut, à droite, le portrait est celui de l'auteur par lui-même; le garçon qui dort dans un fauteuil est probablement le fils de Cézanne.

Feuille d'études, 1879-1882

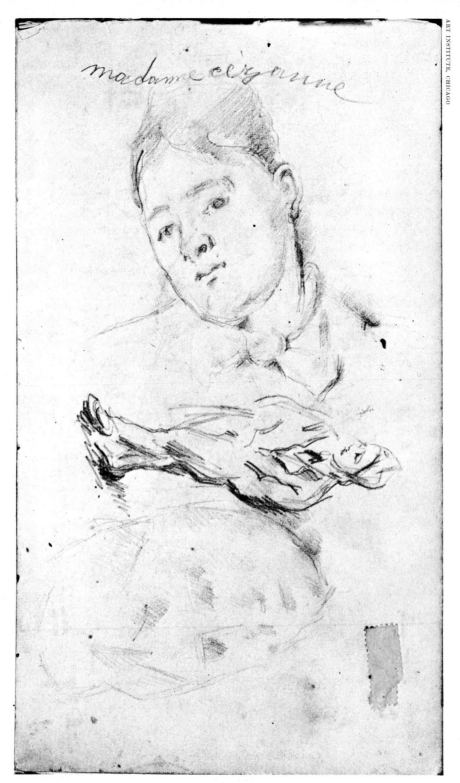

madame cézanne

Page d'un carnet de dessins de Cézanne

Cézanne ne cherchait guère à faire apparaître
la personnalité de ses modèles dans ses
portraits. D'après les 27 peintures qu'il
fit d'Hortense Fiquet, sa maîtresse puis sa
femme, il est difficile de dire de quoi elle
avait l'air; on ne peut même pas dire qu'elle
se ressemble de l'un à l'autre. Plus encore, ses
portraits ne laissent que rarement apparaître
une trace de sentiment. Cézanne se donnait
autant de mal à peindre les fauteuils dans
lesquels elle posait ou le papier peint derrière
elle, que sa figure, ses mains et ses vêtements.

La froideur objective de Cézanne apparaît
dans trois des portraits ci-contre.
Dans les deux du haut, Hortense a environ

30 ans et paraît triste et sans vie. Dans le
dernier tableau *(en bas à droite)*, exécuté
dix ans plus tard, elle paraît prématurément
vieille et enlaidie. L'œuvre qui figure en
bas à gauche constitue une exception
inexplicable; Cézanne lui a donné un air plus
gentil et plus aimable qu'elle ne devait avoir
si l'on en juge d'après ses photographies.

Certains des portraits les plus intimes
d'Hortense se trouvent dans un carnet à
reliure de toile que Cézanne emportait
toujours avec lui. Sur l'une des pages *(ci-
dessus)* on peut voir un dessin de sa femme
avec, au-dessus, « Madame Cézanne »
griffonnée par le jeune Paul.

104

Madame Cézanne dans un fauteuil rouge, 1877

Madame Cézanne (ou la Dame à l'éventail), 1879-1882

Madame Cézanne dans la serre, 1890

Madame Cézanne au fauteuil jaune, 1890-1894

105

Portrait de l'artiste par lui-même, 1875-1877

Portrait de l'artiste par lui-même, 1879-1882

Portrait de l'artiste par lui-même, 1879-1882

Portrait de l'artiste par lui-même, 1883-1887

Il n'est pas étonnant qu'en raison de son aversion profonde pour les étrangers, Cézanne ait fini par devenir son meilleur modèle. Pendant une période de plus de trente ans — elle s'achève au début de la cinquantaine —, il a dessiné ou peint plus de trente portraits de lui.

Les cinq portraits *(ci-dessus et ci-contre)* de l'artiste par lui-même couvrent une dizaine d'années. Bien que l'expression farouche et l'apparence bourrue changent peu d'un tableau à l'autre, les compositions varient ainsi que les couvre-chefs, qu'il s'agisse d'une calotte ou d'une autre de ses coiffures favorites.

Chose curieuse, il s'est peint plus vieux dans la première œuvre *(ci-contre)*, alors qu'il n'avait que trente-huit ans.

Portrait de l'artiste par lui-même, v. 1877

Mardi gras, 1888

P endant des siècles, avant Cézanne, bien des artistes avaient été séduits par l'humour tragique des clowns. Paradant vêtus de costumes bizarres, soulevant le mépris et le rire des spectateurs au cours d'innombrables pantomines et scènes comiques, les clowns symbolisent la folie pathétique de tous les humains. Des peintres comme Watteau et Daumier avaient saisi leur essence, et Cézanne a exécuté ses propres variations sur le même thème dans quatre huiles et une aquarelle.

Paul, le fils de Cézanne, a posé pour toutes ces peintures. Dans le *Mardi gras (ci-dessus à gauche)*, le premier arlequin de Cézanne, Paul, qui avait alors seize ans, a servi de modèle au

Arlequin, 1888-1890

personnage; il y apparaît dans l'habit aux pièces
en losanges que le clown à l'esprit déluré porte
selon la tradition. Dans le même tableau,
Louis Guillaume, un ami de Paul, a posé dans le
costume blanc, bouffant, à collerette empesée de
Pierrot, le personnage pathétique de la *commedia
dell'arte* qui cache un amour méprisé derrière un
masque comique. Le dernier *Arlequin* de Cézanne
(ci-dessus à droite), terminé deux ans après le
premier, ne ressemble plus ni à Paul ni au clown
familier. Le museau allongé, les doigts et les
membres déformés, la silhouette honteuse, il
donne l'impression d'être le prototype presque
abstrait de l'aliénation humaine.

Les Joueurs de cartes, 1890-1892

L'Homme à la pipe, 1890-1894

Parmi les tableaux les plus connus et les plus populaires de Cézanne, on compte ceux qui représentent de solides paysans provençaux en train de jouer aux cartes *(à gauche)*.
La scène était familière aux peintres du dix-septième — l'un des tableaux favoris de Cézanne, au musée d'Aix, était un *Joueurs de cartes* anonyme. Mais, dans les cinq versions qu'il fit du sujet, et dans lesquelles le nombre des personnages va de cinq joueurs et spectateurs à deux adversaires solitaires, Cézanne a totalement supprimé l'aspect documentaire qui donnait tant d'attrait aux peintures anciennes. Les maîtres du passé avaient illustré les points culminants de petits drames, tels que *le Tricheur démasqué* ou *l'Atout maître*. Cézanne, lui, évoque la dignité simple des hommes lents, réservés et volontaires de sa Provence *(ci-dessus)* — dont certains travaillaient sur le domaine familial et se voyaient payer de leur peine lorsqu'ils posaient — en les disposant en un groupe équilibré, presque classique, de personnages. Ces paysans vêtus de leurs habits larges et pratiques, dans leurs attitudes naturelles, sans pose, sont d'une beauté presque monumentale que Cézanne a fixée à la perfection.

111

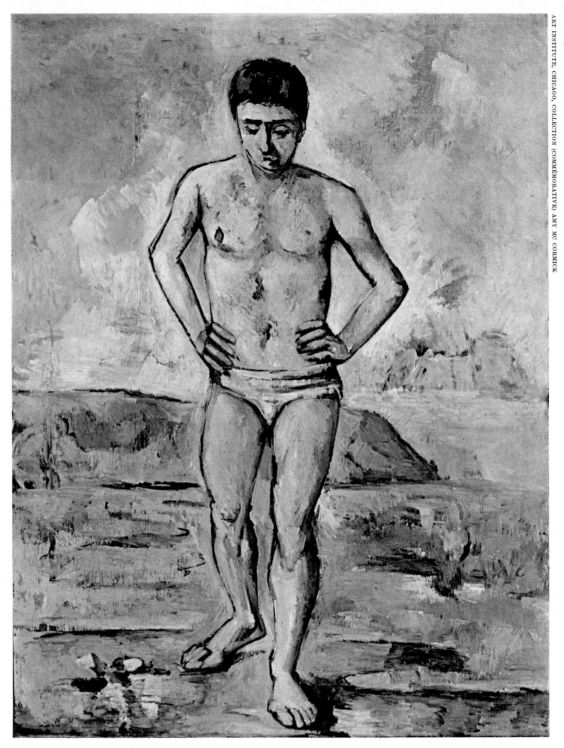

Le Grand baigneur, 1885-1887

Dès le tout début de sa carrière, Cézanne a cherché à résoudre les nombreux problèmes posés par la peinture de personnages dans un paysage. Ses premiers efforts portaient la marque d'une imagination sauvage. Dans les tableaux de la page 25, des nudités tentatrices s'attaquent à un saint; une femme fait l'objet d'une agression brutale. Plus tard, Cézanne supprima des éléments érotiques et littéraires de son œuvre et, au cours des années 1870, commença une série de tableaux, moitié classique, moitié romantique, de baigneurs au bord de l'eau. Son travail était gêné par la moralité provinciale d'Aix, où il trouvait peu de modèles acceptant de poser nus. Pour le tableau ci-dessus, il a sans doute eu recours à une photographie *(page 147)*; le groupe qui figure en haut à droite a été probablement composé d'après des croquis qu'il fit en observant des soldats cantonnés à Aix, lorsqu'ils allaient se baigner à la rivière. Malgré les difficultés qu'il rencontrait, Cézanne devenait de plus en plus habile à ce jeu. Dans le tableau ci-dessus, le personnage monumental domine son environnement mais, dans ceux de droite, l'homme et la nature sont plus étroitement intégrés. Dans la peinture du bas, la vivacité du coup de brosse, l'intensité de la couleur et la nervosité du trait ont pour effet d'unifier l'ensemble de la composition en une tapisserie lumineuse. Cézanne touchait au but.

Baigneurs, 1892-1894

Baigneuses, 1900-1905

113

La plus belle des peintures de Cézanne qui réunissent personnages et paysage est peut-être *Les Grandes baigneuses* ainsi nommée parce qu'elle est la plus grande d'une série consacrée au sujet — elle a plus de 2 m de haut sur près de 2,50 m de large. Cézanne y a travaillé pendant sept ans et elle était toujours inachevée lorsqu'il mourut en 1906.

Le tableau, pourtant, n'est pas incomplet. De toutes les *Baigneuses*, c'est probablement le plus solidement construit et le plus subtilement coloré. Il est bâti comme une pyramide dont les côtés sont constitués par l'arche tronquée des grands arbres et dont la base est un bas-relief de nudités artistement disposées au premier plan. Cette structure géométrique donne au tableau sa qualité architecturale qui est caractéristique des meilleurs paysages de Cézanne. Dans d'autres scènes du même type, celle de la page précédente, par exemple, c'est le paysage qui réduit les personnages ou ceux-ci qui le mettent trop en relief. Ici, les deux éléments sont intégrés : à travers l'arche, la vue porte loin, créant une illusion de profondeur et, à distance, on aperçoit des silhouettes et un bâtiment — c'est un paysage peuplé. Au premier plan, les baigneuses nues agissent, mais Cézanne ne précise pas ce qu'elles font de façon à maintenir l'équilibre délicat entre le paysage et les personnages : en laissant de côté les détails, ceux du récit et ceux de l'anatomie, Cézanne donne au cadre et aux silhouettes une importance égale. Par sa façon de traiter la scène, il l'unifie aussi. Une tonalité bleue prévaut qui lie le ciel, les arbres, le bâtiment et les personnages; une ligne vigoureuse et animée définit les formes et, dans tout le tableau, des touches rectangulaires de couleur vivifient la surface. Par cette intégration du style et du sujet, Cézanne aboutit au chef-d'œuvre triomphant que sont *les Grandes baigneuses*.

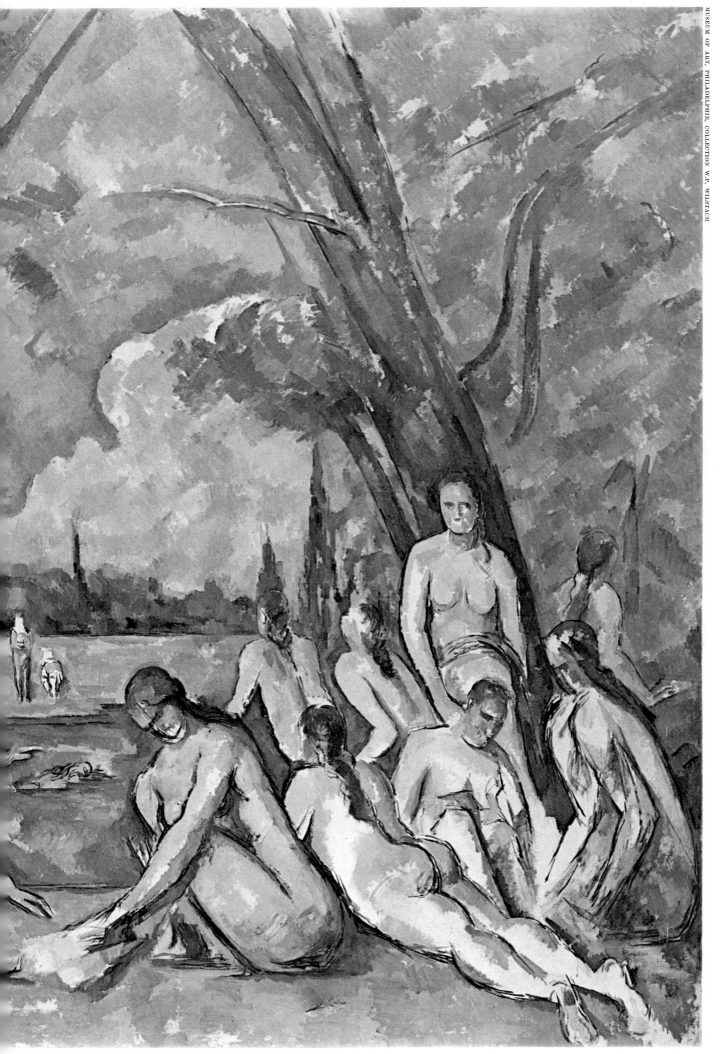

Les Grandes baigneuses, 1898-1905

VI

La fin
d'une amitié

Cézanne changea peu son mode de vie lorsque son père mourut en 1886, le laissant bien pourvu. Il continua de peindre avec fureur — à la fin des années 1880 et pendant les années 1890, il réalisa quelques remarquables peintures de personnages et une masse de paysages. Il s'isola de plus en plus. Il était toujours tenu en lisière par les femmes qui intervenaient dans sa vie : sa mère, sa sœur Marie et sa femme que ses amis appelaient toujours « la Boule ».

En 1891, Numa Coste alla rendre visite à Cézanne pendant un séjour à Aix et décrivit plus tard à Zola ce qu'était la vie au Jas de Bouffan à l'époque. « Comment un banquier rapace a-t-il jamais pu engendrer un être comme notre ami Cézanne ? » écrivait-il. « Il est en bonne santé et physiquement solide, mais il est devenu timide, primitif et plus puéril que jamais. Il vit au Jas de Bouffan avec sa mère, laquelle s'est querellée avec la Boule, qui est aussi, bien entendu, en mauvais termes avec sa belle-sœur, comme elles le sont toutes entre elles. Ainsi Paul vit-il de son côté, sa femme de l'autre. Et l'une des choses les plus pitoyables que je connaisse, c'est de voir ce bon garçon, toujours naïf comme un enfant, passer sur ces brouilles pour accomplir une œuvre dont il est incapable. »

Même après son mariage avec Cézanne, Hortense Fiquet ne fut pas la bienvenue au Jas de Bouffan. Selon ceux qui connurent l'artiste, la mère de Cézanne et sa sœur aînée, Marie, se disputaient aigrement avec Hortense et la chassèrent de la maison, bien que Cézanne y vécût d'ordinaire lorsqu'il était à Aix. Elles reprochaient à celui-ci de donner trop d'argent à Hortense et blâmaient celle-là de le dépenser avec extravagance. Et, pour que les choses fussent pires encore, Marie et sa mère se querellaient sans cesse. (Rose avait prudemment épousé, en 1881, Maxime Conil, un homme d'affaires du pays qui avait bien réussi, et était allée vivre avec lui, hors d'Aix, dans une maison de campagne connue sous le nom de Bellevue.)

Lorsque son mari était dans sa famille, Hortense prenait parfois un appartement à Aix ou dans le voisinage — à Gardanne ou à Marseille — mais le plus souvent elle séjournait avec son fils à Paris, et Cézanne les y rejoignait périodiquement. A l'occasion, cependant, il sentait que leur présence à Paris empiétait sur sa liberté. Son vieux camarade d'école Paul Alexis remarque dans une lettre à Zola

La seule personne pour qui Cézanne
ne perdit jamais son affection fut
son fils, Paul. Bien que le peintre
eût vécu éloigné de lui la plupart
du temps, il fit de nombreux
croquis du garçon, comme celui que
l'on peut voir ci-dessus. Ci-dessous,
une photographie de Paul à 14 ans,
déjà jeune homme, portant complet
veston, chaîne de montre et canne.

que Cézanne avait réussi à installer sa femme et son fils dans un
appartement à Aix avec l'intention de rogner la pension qu'il leur
versait. « Maintenant, ajoutait Alexis, si, comme Cézanne l'espère,
la Boule et le marmot y prennent racine, rien ne l'empêchera plus
d'aller passer six mois à Paris de temps en temps. « Hourrah pour
le soleil et la liberté !, s'écrie-t-il. »

Pour ce que nous en savons, Cézanne ne partit qu'une seule fois
pour un long voyage avec Hortense et Paul. C'était au cours de l'été
de 1890, lorsqu'ils allèrent tous les trois en Suisse — la seule fois
qu'il quitta la France. Le voyage fut loin d'être un succès. A Neuchâtel,
mécontent du résultat des efforts qu'il faisait pour capter les paysages
suisses, il laissa deux toiles derrière lui dans sa chambre d'hôtel.
A Fribourg, il disparut complètement, et sa femme et son fils igno-
rèrent où il était jusqu'à ce qu'il leur eût écrit de Genève, quatre
jours plus tard. Cependant, malgré ses objections, Hortense s'arrangea
pour faire durer le voyage pendant cinq mois.

Lorsque Cézanne rentra à Aix, il enrageait, pour le grand amuse-
ment d'Alexis qui prenait, apparemment, un plaisir pervers aux
difficultés domestiques de son ami. « Il est furieux contre la Boule »,
écrivait Alexis à Zola, « qui... l'été dernier lui a infligé cinq mois de
Suisse et de table d'hôte... Après la Suisse, la Boule, escortée de son
bourgeois de fils, a fait de nouveau route pour Paris... »

Paul allait en classe à Paris pendant que son père vivait son
âge mûr, aussi restaient-ils sans se voir pendant des mois. Mais, malgré
ses absences et malgré les tensions que Cézanne ressentait lorsqu'il
vivait avec Hortense et Paul, il semble avoir été toujours très attaché
à son fils. Il s'inquiétait lorsque celui-ci était malade et l'on croit qu'il
lui écrivait souvent, bien qu'il ne demeure que les seize dernières
lettres de cette correspondance. En 1903, il disait à un ami artiste
que Paul était « plutôt timide, indifférent, mais bon garçon » et, de
façon touchante, il ajoutait, « il m'aide à surmonter ma difficulté à
comprendre la vie. »

Cézanne prit souvent Paul pour modèle ; les premières études que
nous connaissons se présentent sous la forme d'un croquis au crayon
et d'une huile, l'un et l'autre exécutés lorsque Paul avait 7 ou 8
ans. A 13 ans, il apparaît à nouveau dans une autre huile, portant
un chapeau melon. Mais les plus importants des tableaux auxquels
le fils de Cézanne servit de modèle sont les quatre versions — trois
huiles et une aquarelle — d'un arlequin marchant, avec la composition à l'huile qui s'y rapporte et que l'on connaît sous le nom de
Mardi gras (page 108). Ces œuvres comptent parmi les plus étranges
de Cézanne. Rien dans son passé ne paraît l'y avoir préparé, rien dans
son avenir ne l'y ramènera. Exécutées au cours des années 1880-1890,
elles se tiennent sans explication en dehors du reste de son œuvre.

Arlequin, personnage comique familier traditionnellement vêtu d'un
habit aux couleurs multiples, remonte à la *commedia dell'arte* du
XVIe siècle. Le thème a un long et respectable lignage en peinture,
mais personne n'a jamais expliqué l'intérêt soudain — et passager
— de Cézanne pour lui. Certes l'artiste avait manifesté une certaine inclination pour le drame et les sujets tirés de la mythologie,
mais jamais pour des personnages en habit de fantaisie. A l'époque
de la série des Arlequins, il vivait à Paris avec Hortense et Paul,
qui approchait de ses 20 ans, et l'on peut penser qu'il vit un

jour le jeune homme prêt pour un bal masqué et décida de le peindre. L'un des amis de Paul, Louis Guillaume, fils d'un savetier, habitait à côté de chez Cézanne, quai d'Anjou; Cézanne prit Louis comme modèle de l'autre personnage, le Pierrot du *Mardi gras*. On prétend que Louis s'évanouit au cours d'une séance de pause, l'artiste exigeant qu'il restât immobile trop longtemps.

Cézanne n'a rien peint qui soit plus sûrement exécuté ou plus expressif que les Arlequins. Le plus beau, et probablement le dernier du groupe *(page 109)*, a la simplicité et la force de tous les grands tableaux de Cézanne et, en outre, une grâce rare dans son œuvre. La couleur y a une énergie abrupte aussi extraordinaire que la trame de la tapisserie qu'elle semble tisser à l'arrière-plan, ni éteinte par les losanges du costume d'Arlequin, ni hors d'harmonie avec celui-ci. La façon dont Cézanne a mis le costume en valeur et la forme de cimeterre qu'il a donnée au chapeau confèrent au tableau un effet décoratif qui, chez lui, est l'exception.

L'aspect le plus frappant du personnage est l'extrême déformation et l'abstraction de ses traits. On a retrouvé deux dessins préparatoires de la tête d'Arlequin; ils montrent l'élimination progressive des détails du visage jusqu'à ce que celui-ci assume l'apparence d'un museau sans bouche qu'il a dans l'œuvre terminée.

Le *Mardi gras* est moins heureux, surtout parce que la composition est plus lâche, mais le tableau demeure, comme l'*Arlequin*, l'une des œuvres les plus surprenantes de Cézanne. Sa composition curieuse, son style et sa puissance d'expression ont fortement influencé les peintres qui l'on suivi, surtout Picasso, dont la série des Arlequins s'inspire pour partie de la recherche exploratoire entreprise par Cézanne sur ce thème.

La femme de Cézanne, Marie-Hortense, avait l'air d'une solide matrone de l'ère victorienne quand elle posa pour la photographie ci-dessus, en 1900, alors qu'elle avait 50 ans. A l'époque, Cézanne vivait à Aix et Mme Cézanne, qui préférait la vie plus active de Paris, lui rendait visite l'été, accompagnée de leur fils Paul, alors âgé d'une vingtaine d'années.

Mis à part les quatre Arlequins et le *Mardi gras*, les seules compositions à base de personnages que Cézanne ait peintes d'après modèles, sont les cinq huiles dites *les Joueurs de cartes* — peut-être les plus célèbres de toutes ses œuvres. Elles ont été précédées de dix études préparatoires, certaines dessinées et d'autres peintes. Parmi celles-ci, trois études à l'huile appelées *l'Homme à la pipe (page 111)* peuvent soutenir la comparaison avec les meilleurs portraits de Cézanne.

Les différentes versions des *Joueurs de cartes* passent pour les seules peintures de genre du maître — des scènes de la vie quotidienne. Mais le plus frappant est que, si le sujet est banal, les œuvres ont une qualité grave et monumentale totalement étrangère au caractère ordinaire de l'activité dépeinte. Comme le thème de l'Arlequin, le sujet des *Joueurs de cartes* était l'un des plus utilisés depuis des siècles. Mais on y trouvait toujours quelques éléments d'une histoire ou quelques traits d'une anecdote sentimentale. Cézanne a éliminé toute narration de ses *Joueurs de cartes* et ne s'est soucié, comme d'ordinaire, que de la forme, de la couleur et de la composition.

En travaillant le thème, il le simplifiait peu à peu. On ne sait pas très bien dans quel ordre il a peint les tableaux, mais la version la plus grande — elle comprend cinq personnages — est presque certainement la première, tandis que vient en second celle qui n'en comporte que quatre *(pages 110-111)*. Les trois toiles plus petites, à deux personnages seulement, sont postérieures; les deux modèles qui posèrent pour elles ne figurent pas dans les compositions plus vastes.

Dans la plus simple de toutes, celle que l'on considère, en général, comme la dernière, les deux joueurs n'apparaissent que de profil, et les formes de soutien — la table, la chaise, la bouteille, le mur — sont parfaitement parallèles à la surface du tableau ; le dessin ne comporte aucune complexité venant distraire l'attention. Cette interprétation a donné aux *Joueurs de cartes*, selon Roger Fry, la « solennité pesante d'un monument antique. Ce petit café devient pour nous, grâce à la transmutation imposée par Cézanne, une scène épique... ».

En réalité, Cézanne a peint *les Joueurs de cartes* dans son atelier, mais il est possible qu'il ait exécuté quelques croquis préparatoires dans un café d'Aix ; il ne fait aucun doute que ses modèles furent des paysans de l'endroit — l'un d'eux aurait été jardinier au Jas de Bouffan. Ces humbles habitués d'un café constituaient, à bien des égards, des sujets idéaux pour Cézanne parce qu'il lui semblait comprendre leurs manières lentes et réfléchies et qu'il appréciait particulièrement leur patience pendant la pose. Eux, de leur côté, ne lui accordaient pas grande attention — à leurs yeux, il n'était, après tout, qu'un barbouilleur un peu fou mais pas méchant.

On a émis l'opinion que l'intérêt de Cézanne pour le thème des *Joueurs de cartes* trouvait ses racines dans la rupture de celui-ci avec Zola. Les deux personnages se faisant face de chaque côté de la table, dans les dernières versions, figureraient, selon cette interprétation, Cézanne et Zola dans l'esprit du peintre. Cette théorie paraît bien peu probable, mais il fait peu de doute que Cézanne fut profondément affecté par sa rupture avec son plus vieil ami. Les deux hommes ne reconnurent jamais ouvertement que leur amitié avait cessé, mais ils ne se revirent plus après la publication de *l'Œuvre* par Zola en 1886.

Le roman a pour thème l'impuissance artistique personnifiée par un peintre du nom de Claude Lantier. Comme Zola l'a indiqué dans ses notes, Lantier a été vu comme « un Manet, un Cézanne dramatisé, plus proche de Cézanne. » Pour Zola, Lantier-Cézanne était « un grand peintre qui a échoué », « un génie incomplet », « un soldat de l'incréé » ; sa vie était « la terrible tragédie d'un esprit qui se détruisait lui-même. » A la fin du livre de Zola, Lantier se pend devant une toile inachevée, son « chef-d'œuvre. »

L'Œuvre résumait ce que Zola disait en privé de Cézanne depuis longtemps. La relation entre les deux hommes était complexe. L'affection sincère qu'ils ressentaient l'un pour l'autre était compensée, jusqu'à un certain point, par une rivalité qui remontait à leur scolarité commune. Cézanne et Zola étaient fiers et, au fur et à mesure qu'ils prenaient de l'âge, le contraste de leur carrière faisait peser une tension de plus en plus grande sur leur amitié.

Zola était le romancier le plus en vogue de son temps, Cézanne le peintre le plus cruellement méconnu. Zola, qui avait considérablement engraissé — il mesurait moins de 1,70 mètre pour près de 90 kilos — menait une vie mondaine et fréquentait critiques et écrivains célèbres ; en 1888, il fut fait chevalier de la Légion d'honneur. Cézanne, lui, était presque un reclus, excessivement timide en société et d'une sensibilité maladive. Un jour, chez Zola, à Médan, il traversa une pièce chargé de son matériel de peinture et crut surprendre un regard amusé entre Zola et un domestique ; il quitta immédiatement la maison. Une autre fois, à Médan, on l'interrompit pendant qu'il peignait un portrait de Mme Zola dans le jardin ; il cassa ses pinceaux, déchira sa toile et sortit furieux.

REPUBLIQUE FRANÇAISE
0.85
P. CEZANNE

Une chaude nuit d'août, en 1961, les cambrioleurs amateurs d'art pénétrèrent dans un musée d'Aix, si bien éclairé qu'il fût, et s'emparèrent de huit peintures faisant partie d'une exposition itinérante des œuvres de Cézanne. En novembre, le gouvernement français, pour marquer cette perte, émit le grand timbre ci-dessus en quatre couleurs ; il représente la plus importante des toiles disparues, *les Joueurs de cartes*, l'un des cinq tableaux auxquels Cézanne donna le même nom. Cependant, tout finit bien, quelques mois plus tard, lorsque les peintures furent rendues contre rançon.

Dans ses lettres à Zola, cependant, Cézanne continuait à protester de son amitié et de sa gratitude. « Je suis avec reconnaissance ton ancien camarade de collège de 1854 », écrit-il de façon caractéristique, à la fin d'une lettre datée du 1er avril 1880. Et, pourtant, depuis les premiers succès de la longue série des Rougon-Macquart, ses lettres à Zola contenaient une part de critiques et même de moqueries qui ne pouvaient échapper à leur destinataire.

Dans l'une de ses lettres, Cézanne donne l'impression d'ignorer l'extraordinaire tumulte qui accueillit *Nana*, et l'on veut y voir la mesure de l'extrême isolement dans lequel vivait Cézanne. Il semble beaucoup plus vraisemblable que le tempérament ironique de Cézanne ait poussé celui-ci à faire comme si, dans certaines parties de la France au moins, le succès le plus bruyant de Zola était passé inaperçu.

Voici les faits. *Nana*, le neuvième volume de la chronique des Rougon-Macquart avait commencé à paraître en feuilleton dans un quotidien parisien, *le Voltaire*, en octobre 1879. Très vite, il monopolisa l'attention des lecteurs français au point qu'un critique contemporain pouvait écrire que c'en était devenu « une obsession, un cauchemar. » L'auteur était en butte aux caricatures des journaux et la courtisane, héroïne de son roman, était en même temps dénoncée comme obscène et acclamée dans des chansons populaires telles que *Nana, la vestale de la place Pigalle*. Bénéficiant d'une énorme publicité, le livre se vendit à 50 000 exemplaires dans les premières vingt-quatre heures de sa sortie. Cézanne passait alors l'hiver avec Hortense et Paul dans une maison qu'il avait louée à Melun. La température était exceptionnellement rigoureuse, et il était vraiment très isolé.

Mais il lisait régulièrement quelques journaux parisiens et avait écrit à Zola, six mois avant la parution de *Nana*, qu'il en prenait connaissance « pour avoir des nouvelles de ce que tu fais et de ce que tu as fait. » Cézanne avait, en outre, assisté à une pièce tirée du roman à succès de Zola, *l'Assommoir*, et avait vu au théâtre une grande affiche annonçant la publication de *Nana* en feuilleton. Au surplus, au moment où le succès dû au scandale battait son plein, il avait échangé bon nombre de lettres avec son ami.

Dans ces conditions, sa lettre à Zola de février 1880 est extraordinaire. *Nana*, remarque-t-il, « c'est un volume magnifique, mais je crains que, par une entente préconçue, les journaux n'en aient point parlé. En effet, je n'ai vu aucun article ni annonce dans aucun des trois petits journaux que je prends. Or cette constatation m'a un peu ennuyé, parce que ce serait l'indice d'un trop grand désintéressement des choses d'art... Maintenant peut-être que le bruit que devait faire l'apparition du volume de *Nana* n'est pas venu jusqu'à moi... »

Si Cézanne préférait ignorer le succès de Zola, c'est probablement partie par envie, partie par désir de dégonfler l'homme qui, à ses yeux, en était presque venu à figurer le prototype du gros bourgeois qu'ils avaient, l'un et l'autre, tant moqué pendant leur jeunesse. Zola, à son tour, peut avoir ressenti une certaine jalousie; bien qu'il soit douteux qu'il ait jamais compris l'œuvre de Cézanne, il n'est pas impossible qu'il ait soupçonné que, des deux, c'est son ami qui était le génie authentique.

En 1880, Zola écrivit une série de quatre longs articles sur l'Impressionnisme; il ne consacra qu'une phrase à son vieux camarade :

« M. Paul Cézanne a le tempérament d'un grand peintre encore aux prises avec des problèmes techniques et qui demeure très proche de Courbet et de Delacroix. » Lorsque Zola mentionna Cézanne à nouveau, il le fit en marquant son adieu non seulement à Cézanne en tant que peintre mais aussi son adieu à tous les Impressionnistes qu'il avait si vigoureusement défendus. C'était en 1896, lorsque Zola écrivit à nouveau pour *le Figaro* une critique du Salon officiel. Il célébra le triomphe de l'Impressionnisme mais soutint que la théorie avait été poussée trop loin et avait « porté un fruit d'une espèce monstrueuse ». Au Salon, regardant autour de lui, il se demandait : « Pourquoi ai-je donc combattu ? » L'effet de cette critique, remarque Gustave Geffroy, fut qu'on eût dit une sonnerie des trompettes de la victoire jouée comme une marche funèbre ». De Cézanne, Zola disait : « J'ai poussé presque dans le même berceau que mon ami, mon frère, Paul Cézanne, et ce n'est que maintenant que les gens reconnaissent mon ami dans ce grand peintre qui n'a jamais mûri. »

L'opinion de Zola sur Cézanne était partagée par beaucoup de ses relations littéraires et, les années passant, la réputation de Cézanne en avait souffert d'autant. En 1883, Pissarro réprimanda le critique J.K. Huysmans pour avoir oublié, dans un livre consacré aux peintres contemporains, de parler de Cézanne qui, remarquait-il, avec perspicacité, « a exercé une très grande influence sur l'art moderne. »

A quoi Huysmans répliqua : « Je trouve la personnalité de Cézanne très sympathique, car je connais ses efforts par Zola, ses frustrations, ses défaites lorsqu'il essaie de créer une œuvre... » Mais les peintures de Cézanne, concluait Huysmans, « n'avaient aucune chance de survivre. » De même, Thiébault-Sisson, critique du *Temps* et ami de Zola, disait à ses lecteurs en 1895 que Cézanne « reste aujourd'hui ce qu'il a toujours été, incapable d'autocritique et trop incomplet pour pouvoir... donner sa pleine mesure dans des œuvres définitives. »

Ainsi, en créant le personnage de Claude Lantier dans *l'Œuvre*, Zola ne faisait que donner une expression dramatique à certains antagonismes depuis longtemps latents dans ses relations avec Cézanne. Lorsque Zola lui envoya un exemplaire du livre, comme il faisait pour toutes ses œuvres, Cézanne lui répondit par un mot de remerciement court et formaliste : « Je viens de recevoir *l'Œuvre* que tu as bien voulu m'adresser. Je remercie l'auteur des *Rougon-Macquart* de ce bon témoignage de souvenir et lui demande de me permettre de lui serrer la main en songeant aux anciennes années. Tout à toi sous l'impulsion des temps écoulés. Paul Cézanne ». Ce billet marque la fin de leur longue correspondance.

Plus d'une décennie après cette rupture, Zola se jeta dans l'action la plus discutée de sa carrière en jouant un rôle majeur dans cet ébranlement de la conscience française que fut l'affaire Dreyfus. Celle-ci, si étonnante et presque incroyable qu'elle ait été, eut peu d'effet sur la vie de Cézanne mais jette une lumière intéressante sur la personnalité des deux hommes et la nature de l'époque au cours de laquelle ils ont fait carrière.

Le 26 septembre 1894, une femme de ménage de l'ambassade d'Allemagne à Paris remettait au commandant Joseph Henry, sous-chef du Bureau du contre-espionnage au ministère de la Guerre, le contenu de la corbeille à papiers de l'attaché militaire allemand, le lieutenant colonel Max von Schwartzkoppen. La démarche était normale et, d'ordinaire, la corbeille du colonel ne contenait rien de plus que les lettres d'amour qu'il recevait de la femme d'un conseiller de l'ambassade des Pays-Bas. Cette fois-ci, cependant, la corbeille de Schwartzkoppen contenait un memorandum, le « bordereau », qui énumérait cinq documents militaires français secrets que le scripteur anonyme désirait vendre au haut commandement allemand.

On en conclut immédiatement qu'un officier de l'état-major général trahissait. Parmi les quatre ou cinq suspects à même d'avoir fourni l'information secrète, comptait le capitaine Alfred Dreyfus, officier d'artillerie, juif, dont l'écriture avait une certaine ressemblance avec celle du « bordereau. » En apparence à cause de cette similitude mais aussi en raison de l'antisémitisme du corps des officiers, Dreyfus fut traduit devant le tribunal militaire, condamné à l'emprisonnement à vie et, le 21 février 1895, déporté dans la colonie pénitentiaire de l'île du Diable. Il y resta au secret pendant plus de quatre ans, tandis que le commandant Henry était promu lieutenant-colonel.

L'affaire n'éveilla qu'un intérêt temporaire. L'ironie du sort voulut que les socialistes français, qui plus tard, pour des raisons politiques, devinrent les champions les plus acharnés de Dreyfus, aient penché plutôt vers l'antisémitisme à l'époque du premier procès, sous le prétexte que tous les juifs étaient capitalistes. De ce fait, ils critiquèrent le gouvernement de n'avoir pas imposé la peine capitale.

Au cours de l'été 1895, le ministère de la Guerre ordonna au lieutenant-colonel Marie Georges Picquart, le supérieur d'Henry, de reprendre le dossier pour découvrir les motifs de Dreyfus. Picquart en vint à la conclusion que Dreyfus était innocent et que le « bordereau » était en réalité de la main du commandant Marie Charles Ferdinand Walsin-Esterhazy, officier d'infanterie cynique et désargenté qui avait, un jour, déclaré à sa maîtresse que son ambition était de se trouver à la tête d'une compagnie de lanciers pour « sabrer les Français ». Henry refusa pourtant de reconnaître l'innocence de Dreyfus. Croyant la réputation de l'Armée en jeu, il forgea des documents prouvant la culpabilité de Dreyfus. Quant à Picquart, il fut muté en Tunisie.

Ce n'est qu'en novembre 1897, c'est-à-dire près de trois ans après le premier procès, que l'affaire Dreyfus se transforma en question politique importante. Le frère de Dreyfus, Mathieu, s'était lui aussi, de son côté, convaincu de la culpabilité d'Esterhazy, et il mit celui-ci en cause publiquement. L'accusation fut l'objet d'une publicité énorme, en particulier dans le *Figaro*, et Esterhazy, convaincu du soutien du ministère de la Guerre, demanda à un tribunal militaire de laver son honneur. Il fut dûment acquitté; et quelques mois plus tard on arrêta Picquart pour le jeter en prison sous l'inculpation d'avoir révélé des documents militaires confidentiels à un civil.

L'affaire avait dès lors des ramifications qui s'étendaient bien au-delà de la question de savoir si Dreyfus était coupable ou innocent, au-delà même du problème juif. L'affaire Dreyfus, agissant comme un aimant sur la limaille de fer, avait polarisé les courants et les contre-courants sentimentaux qui, depuis la Révolution, avaient agité les masses en France. Ligués contre Dreyfus, on trouvait les royalistes, les militaristes, les catholiques, le haut négoce — tous les gens de droite qui avaient quelque chose à perdre en cas de virage à gauche. Les partisans de Dreyfus étaient les républicains, les socialistes, les anticléricaux, les antimilitaristes, tous les gens de gauche qui désiraient, selon la formule d'André Maurois, « continuer la Révolution, ou protéger ses conquêtes. »

Au cours de l'automne 1897, l'avocat de Picquart — qui savait que Zola avait la réputation d'aimer combattre pour des causes impopulaires — montra à celui-ci les preuves accablantes que Picquart avait rassemblées contre Esterhazy. Le 13 janvier 1898, le jour où Picquart fut emprisonné, Zola publiait dans *l'Aurore* l'article désormais célèbre *J'accuse*.

Sous forme d'une lettre ouverte adressée à Félix Faure, président de la République, il demandait un nouveau procès pour Dreyfus et accusait les officiers qui avaient jugé Esterhazy d'avoir délibérément tenté d'entraver la justice. « Le tribunal qui a jugé Dreyfus a peut-être manqué d'intelligence, écrivait Zola, mais celui qui a jugé Esterhazy a commis un crime. » On vendit 300 000 numéros de *L'Aurore* ce jour-là.

Le gouvernement fit citer Zola pour diffamation; au tribunal, il se montra moins à son avantage que dans sa magnifique protestation. Tour à tour boudeur et vantard, il proférait des remarques comme celles-ci : « Je ne connais rien à votre loi, et je ne veux rien en connaître », « avec mes écrits j'ai gagné plus de victoires que les généraux qui m'insultent », et « à travers mes œuvres, la pensée française est diffusée aux quatre coins du monde. » Il fut condamné à la peine maximale d'un an de prison et à une amende de 3 000 francs. Il fit appel, fut jugé à nouveau avec le même résultat et, le 18 juillet 1898, à contrecœur et sous la pression d'amis, s'enfuit en Angleterre pour échapper à son incarcération.

Tant de personnes croyaient, cependant, comme Zola, que quelque chose n'allait pas dans le jugement condamnant Dreyfus, que le nouveau ministre de la Guerre examina lui-même les pièces à conviction forgées par le colonel Henry et découvrit, apparemment à sa grande surprise, qu'elles constituaient des faux. On arrêta Henry qui se suicida le lendemain en se tranchant la gorge. La décision du tribunal militaire qui avait condamné Dreyfus fut annulée par la cour d'appel et un second procès ordonné.

Si étonnante que soit la chose, Dreyfus fut à nouveau condamné par cinq voix contre deux, mais on lui trouva des circonstances atténuantes. Et, lorsqu'on lui offrit le bénéfice d'une grâce présidentielle, il accepta. Beaucoup de dreyfusards, pour lesquels Dreyfus avait depuis longtemps cessé d'être un être humain pour devenir un symbole, en furent amèrement déçus. Ils pensaient que Dreyfus aurait dû refuser la grâce parce qu'il était innocent de tout crime. « Nous étions prêts à mourir pour Dreyfus », écrivit hargneusement Charles Péguy, alors porte-parole du socialisme, « mais Dreyfus ne l'était pas ». En réalité, soutint Péguy, si Dreyfus avait été membre du tribunal militaire, il se serait condamné lui-même par discipline. Dreyfus était surtout fatigué de toute cette affaire. « Je déteste ces lamentations publiques autour de mes souffrances », confia-t-il à un ami.

Bien qu'il se fût retiré de la scène publique, l'agitation continua pour obtenir sa réhabilitation complète. En 1906, la Cour de cassation le lava de toutes les accusations qui pesaient sur lui et le réintégra dans l'armée avec le rang de commandant. Il fut aussi promu officier de la Légion d'honneur tandis qu'Esterhazy était chassé de l'Armée et que Picquart devenait général puis, bientôt, ministre de la Guerre. Lorsque le colonel von Schwartzkoppen publia plus tard ses papiers personnels, ceux-ci prouvèrent sans aucun doute qu'Esterhazy avait écrit le « bordereau » et que Dreyfus était innocent. Les conséquences dernières de l'affaire sont difficiles à apprécier mais celle-ci a contribué à discréditer les monarchistes, les cléricaux et le reste de la droite, ainsi qu'à hâter la séparation de l'Église et de l'État en France.

En se précipitant à l'aide de Dreyfus, Zola a montré le courage et la passion de la justice qui le caractérisaient — et aussi un sens de la publicité et de la promotion qui ont fait souvent douter de sa sincérité. L'action de Zola n'a pas à elle seule retourné la marée en faveur de Dreyfus; bien d'autres facteurs et beaucoup d'autres personnes y ont leur part. Mais on ne saurait nier qu'il a concentré l'attention publique d'une façon dramatique sur l'affaire au moment où l'on commençait à y porter intérêt.

La réaction de Cézanne à l'affaire Dreyfus n'eut pas la même force et de loin mais, à sa façon, elle est aussi révélatrice. Interrogé en 1898 sur la défense de Dreyfus par Zola, Cézanne se contenta de dire de son ami : « Ils l'ont eu. » A l'évidence ce n'était pas seulement le reclus qui s'exprimait mais aussi ce « timide petit monsieur de la campagne », tel que Fry l'a décrit, celui qui, malgré des impulsions artistiques révolutionnaires, avait tendance à adopter une position politique conventionnelle pour garantir sa respectabilité.

On ne connaît qu'une seule réaction de Cézanne à l'égard de l'affaire elle-même. Il découpait dans un journal parisien des dessins antidreyfusards du grand caricaturiste Forain et les épinglait sur le mur dans la cage de l'escalier qui menait à son atelier d'Aix. « Comme ils sont bien dessinés! » faisait-il remarquer à ses visiteurs.

La culpabilité ou l'innocence du capitaine Dreyfus condamné pour trahison par une cour martiale était l'occasion de violentes disputes qui divisèrent la nation, séparèrent des familles, brisèrent des amitiés. Les deux caricatures de l'époque *(ci-dessus)* ont pour légende, la première, qui représente un sympathique dîner de famille : « Ils ont juré de ne pas parler de l'affaire Dreyfus »; la seconde, qui marque la fin du dîner : « Ils en ont parlé. »

Ce qui préoccupait Cézanne au cours des années 1880 et 1890 n'était ni les affaires nationales ni les problèmes que soulevaient sa femme, sa sœur et sa mère, mais le paysage de la Provence. « J'ai commencé à voir la nature un peu tard », a-t-il écrit à Zola de l'Estaque, en décembre 1878, « ce qui ne laisse pas que d'être plein d'intérêt cependant. » Cet intérêt était si grand qu'il laissa 300 paysages dont la moitié ont été exécutés entre 1883 et 1895. Ils ont un aspect qui distingue immédiatement l'œuvre de Cézanne de celle de ses précurseurs et de ses contemporains; à cause de son désir de rechercher ce qui est essentiel, solide et permanent dans la nature, on ne trouve dans son œuvre aucun des éléments d'ambiance qui animent la plupart des œuvres paysagistes européennes. Le souci de la structure, qui a remplacé l'atmosphère dans l'art de Cézanne, devait exercer un effet déterminant sur de nombreux peintres qui vinrent après lui.

Le pays peint par Cézanne n'est pas la campagne confortable et douce des Impressionnistes, avec ses pique-niqueurs à l'aise sur les bords de la rivière et ses promeneurs sur les routes et dans les champs. A la vérité, il est rare que des silhouettes humaines figurent dans les paysages de Cézanne. Les heures du jour comme les saisons semblent abolies. Les formes s'enveloppent dans une impassibilité parfaite; aucun vent n'agite les arbres ni ne ride la surface de l'eau, les nuages sont denses et immobiles. On y trouve le même sens de la gravité que l'on remarque dans les natures mortes et les portraits.

Si le paysage provençal n'a pas engendré le style de Cézanne, il l'a évidemment influencé. La structure naturelle des formes de cette rude terre brûlée de soleil, et l'éclat de sa lumière, ont permis à Cézanne d'imaginer ce qu'étaient l'Italie et la Grèce puis d'y rattacher la Provence pour en faire l'un des « grands paysages classiques. »

Pourtant, il ne s'est pas limité au Midi; il a peint aussi des paysages dans le Nord de la France. Mais, souvent, sur ces toiles, la vallée brumeuse de l'Oise ou les marais de la Seine empruntent à la Provence une bonne part de sa qualité structurelle. Cézanne paraît avoir été incapable d'oublier la lumière et la force de sa patrie.

Le Lac d'Annecy de 1896 *(page 153)* compte parmi les plus éloquents des paysages peints par Cézanne en dehors de la Provence, mais n'a pas suffi à le satisfaire. Le site ne lui convenait pas. Il s'en est expliqué dans une lettre à son vieil ami Philippe Solari, qui vivait alors à Aix. « Ça ne vaut pas notre pays », écrivait-il, « quoique, sans charge, ce soit bien ». Mais il avait la terre natale dans le sang, et rien d'autre ne pouvait l'émouvoir autant. Cézanne a exprimé son sentiment d'une autre façon dans une lettre à Gasquet. Il aimait, notait-il, « la conformation de mon pays », et il sentait une « tristesse en Provence que personne n'a jamais chantée. » Cette identification émotionnelle étroite avec la terre du Midi a duré autant que lui.

Toute sa vie, il a peint une grande variété de scènes provençales, mais quelques-unes beaucoup plus que d'autres. Les plus délibérément structurées de toutes ses œuvres sont les paysages qu'il voyait de la colline de Gardanne, petit bourg composé d'un groupe de bâtiments à flanc de coteau dominé par les ruines d'une vieille église. Cézanne quitta le Jas de Bouffan en août 1885 pour aller s'y installer peu après sa mystérieuse histoire d'amour de cette année-là. Il y peignit non seulement la pyramide abrupte du village *(page 149)* mais aussi le paysage de coteaux dénudés qui l'entourait. Il entassait fréquemment son matériel sur le dos d'un âne qu'il avait acheté et partait pour des expéditions de plusieurs jours pendant lesquels il mangeait chez des paysans et dormait dans leurs granges. La série des peintures de Gardanne a exercé une influence importante sur d'autres artistes, en particulier sur Georges Braque, dont les paysages cubistes de 1908 prouvent à l'évidence une grande familiarité avec l'œuvre de Cézanne à Gardanne.

La campagne autour de l'Estaque constituait, pour Cézanne, un autre sujet favori. De cette ville méditerranéenne, il écrivit à Pissarro qu'il trouvait le soleil « si effrayant qu'il me semble que les objets s'enlèvent en silhouette non pas seulement en blanc ou noir mais en bleu, en rouge, en brun, en violet. » Il travaillait sur les collines, derrière la ville, et sur les crêtes surplombant la baie de Marseille. Le vert, toujours le même, du paysage d'oliviers et de pins satisfaisait le désir d'ordre et de stabilité de Cézanne. Dans la même lettre à Pissarro, il écrivait que l'on pouvait trouver « des motifs qui demanderaient trois ou quatre mois de travail... car la végétation n'y change pas .» Il avait désormais une meilleure maîtrise du pays que pendant son séjour de 1870 et il y exécuta quelques superbes peintures qui font venir à l'esprit la description lyrique de l'Estaque et des environs que Zola consigna dans ses notes pour *l'Œuvre*. Des tableaux peints par Cézanne sur les collines derrière la petite ville, le plus intéressant est sans doute la *Maison à l'Estaque (page 184)*, composition dont la puissante simplicité repose presque exclusivement sur des formes rectilignes qui sont ce que l'artiste a produit de plus abstrait. Beaucoup d'autres tableaux de l'Estaque sont tournés vers la mer, avec deux motifs principaux : les toits rouges opposés au bleu de l'eau à travers un cadre d'arbres, et la baie de Marseille surplombée par les collines dans le lointain. Ces deux motifs, Cézanne les a peints et repeints sans cesse, opposant souvent la forme courbe des arbres à la géométrie rigide des maisons, des cheminées et de l'horizon. Parfois, il traitait la mer sans vagues et le ciel d'une façon presque plate, sans chercher du tout à créer une illusion de profondeur.

Par contraste, *le Golfe de Marseille, vu de l'Estaque (page 152)* donne une grande sensation d'espace — à la fois par son étendue horizontale, soulignée par un tableau beaucoup plus large que haut, et par l'introduction d'un lointain profond. Aucune œuvre de Cézanne ne démontre mieux comment il réussit à donner une impression d'éloignement par la juxtaposition de zones de couleurs d'intensité différente — dans ce cas, les rouges et les orange de la côte proche s'opposent à l'immense plan d'eau bleue et au ciel pâle teinté de vert. L'effet est celui d'une immensité ordonnée — calme, impersonnelle et permanente.

Cézanne perdit apparemment tout intérêt pour l'Estaque vers 1890, moment où il se mit à peindre de plus en plus souvent la montagne Sainte-Victoire. C'est un sujet qui avait toujours exercé une fascination particulière sur lui. Il l'a dessiné ou peint plus de soixante fois, à partir de 1870 environ, lorsqu'il en fit le fond de son tableau intitulé *la Tranchée du chemin de fer (page 30)*. Mais il ne commença à en faire un sujet qu'à partir du début des années 1880, avec une série de paysages à partir d'un observatoire au sud-ouest d'Aix. Puis il peignit la montagne Sainte-Victoire vue de Gardanne, de la carrière de Bibémus à l'est d'Aix et de son dernier atelier sur le chemin des Lauves, au nord de la ville. Vers le milieu des années 1880, la montagne Sainte-Victoire était devenue le thème le plus important des paysages de Cézanne, et il le resta jusqu'à la fin de sa vie.

Jamais il ne la peignit deux fois de la même façon. Il lui est arrivé de la voir parfois blanchâtre, aussi gris triste, violet pâle, rose, bleu et même orange. Il lui suffisait de déplacer son chevalet de quelques pas pour trouver un nouveau motif. Ici, au bord de la rivière, « les motifs se multiplient », écrivait-il à Paul en 1906. « Le même sujet vu sous un angle différent offre un sujet d'étude du plus puissant intérêt, et si varié que je crois que je pourrais m'occuper pendant des mois sans changer de place, en m'inclinant tantôt plus à droite, tantôt plus à gauche. »

Au cours de l'automne de 1889, Renoir a remarqué avec admiration le soin que Cézanne apportait à ses paysages. A l'époque, Renoir, sa femme et son fils étaient les invités de Cézanne au Jas de Bouffan. La visite commença assez bien, mais finit mal, lorsque Renoir, se rappelant peut-être les relations orageuses de Cézanne avec son père, risqua une plaisanterie anodine sur les banquiers. Cézanne y vit un affront à sa famille; Renoir partit peu après.

Et le souvenir qu'il conservait à l'esprit de nombreuses années plus tard n'était pas la querelle mais la vision de son hôte — la « vision inoubliable » de Cézanne derrière son chevalet regardant le paysage avec des yeux « ardents, concentrés, attentifs et respectueux. »

Les natures mortes de Cézanne

Peindre des natures mortes convenait particulièrement bien à un homme ayant le tempérament chatouilleux et les habitudes de travail méthodiques de Cézanne. Non seulement les sujets humains ne posaient pas assez tranquillement mais il lui était difficile de s'entendre avec eux. Les paysages, qu'il aimait peindre, nécessitaient le choix laborieux du point de vue adéquat. Mais, dans son atelier *(à droite)*, il pouvait disposer pommes, poires et assiettes avec un soin méticuleux jusqu'à ce qu'il ait un motif dont il soit satisfait — et les pommes et les poires ne bougeaient ni ne parlaient. Cézanne passait alors des semaines et souvent des mois à travailler son sujet, ce qui explique qu'il ait préféré ne pas peindre de fleurs fraîches puisque celles-ci avaient tout le temps de se faner avant qu'il ait pu « réaliser » son tableau.

En consacrant autant de temps et d'efforts à des natures mortes — il en a peint presque deux cents — Cézanne a rendu vie à un genre qui n'attirait plus d'artistes sérieux, à l'exception de Manet, depuis presque un siècle. Mais, en rendant la vie au genre, il le modifia radicalement. Il ne s'intéressait pas, comme la plupart des peintres de natures mortes avant lui, à des scènes d'intimité domestique — une table de cuisine avec les reliefs d'un repas. Il voulait, au contraire, produire une toile que l'on puisse apprécier pour elle-même en tant que structure solidement composée de formes et de couleurs. Tirée de son statut de genre subalterne, la nature morte, après Cézanne, est devenue un mode d'expression majeur pour les grands artistes du vingtième siècle.

Le dernier atelier de Cézanne à Aix était un monde sûr dans lequel il se retirait plusieurs heures par jour pour peindre. Il en avait conçu l'aménagement lui-même, et choisi les meubles simples et utilitaires dont beaucoup figurent dans ses peintures. Pour Cézanne, aucun objet n'était trop prosaïque pour être intéressant, et il répondit, un jour, à un jeune peintre qui lui demandait conseil : « Peignez le tuyau de votre poêle. »

Dessin d'écorché (d'après *l'Écorché* de Michel-Ange), v. 1895

Trois crânes, 1900-1904

L'atelier de Cézanne, à Aix, a été conservé dans son état et transformé en musée; les tables et les étagères *(à gauche)* supportent toujours les modestes objets de ménage qu'il utilisait si souvent dans ses peintures : des bouteilles, une cruche en poterie et un plateau à fruits blanc. Cézanne possédait aussi quelques supports plus formels, tels que l'Amour en plâtre, la statuette et le crâne que l'on aperçoit sur la commode à dessus de marbre. Ces objets, Cézanne les utilisait pour se faire la main en dessinant ou pour les introduire dans ses peintures *(page suivante)*. Le dessin reproduit en haut de cette page est un moulage d'une statuette représentant un homme écorché attribué par erreur à Michel-Ange par les historiens d'art du XIXe siècle. Les crânes immédiatement au-dessus du texte rappellent les natures mortes hollandaises du XVIIe dans lesquelles ils symbolisaient le caractère inévitable de la mort et la brièveté de la vie terrestre. Pour l'émotif qu'était Cézanne, ces objets avaient à la fois une signification artistique et personnelle.

Dessin de l'Amour, de Puget, 1888-1895

Dessin de l'Amour, de Puget, 1888-1895

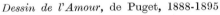

Dans deux de ses natures mortes, Cézanne a élargi sa collection habituelle d'objets simples par l'apport d'un Amour en plâtre — copie d'une statuette baroque du XVIIIe siècle — que l'on voit dans le tableau à droite et les dessins ci-dessus.

Dans le tableau, l'Amour concentre l'attention sur lui bien que la statuette de « l'Homme écorché » faiblement éclairée soit également présente à l'arrière-plan sur une toile. Peut-être, certains l'ont pensé, les deux sculptures reflètent-elles les deux pôles de la vie émotionnelle de Cézanne : l'Amour représentant l'érotisme et « l'Homme écorché » la violence et la souffrance. Mais l'artiste s'est évidemment intéressé aux formes rondes de Cupidon et a souligné ses courbes en y faisant écho par la forme des pommes et des oignons.

Il a aussi créé des contrastes qui confèrent à la composition sa tension dynamique. La pâleur de la sculpture s'oppose aux tons vifs des fruits; les courbes de l'Amour sont encadrées par les lignes droites de la toile derrière lui. De subtiles ambiguïtés concourent à accroître la tension. La nappe bleue de la table à gauche se fond imperceptiblement avec la draperie pour donner ce qui, vu de plus près, est une peinture appuyée contre le mur; tandis que la queue d'un oignon sur la table semble autant faire partie du tableau derrière elle que de l'oignon lui-même.

Nature morte avec l'Amour en plâtre, v. 1895

MUSEUM OF ART, PHILADELPHIE, COLLECTION TYSON

Un dessert, 1873-1877

NY CARLSBERG GLYPTOTEK, COPENHAGUE

Assiette et compotier, 1879-1882

NATIONAL GALLERY OF ART, WASHINGTON, D.C.
AVEC L'AUTORISATION DE LA COLLECTION CHESTER DALE

La Bouteille de Peppermint, 1890-1894

Pot de géraniums et fruits, 1890-1894

Une suite de natures mortes de Cézanne — disposées par ordre chronologique à partir du tableau en haut à gauche — montre la vitalité de son œuvre et la simplicité de ses sujets. L'échantillonnage marque aussi quelques étapes dans l'évolution de son style. La plus ancienne, *Un dessert (en haut, à gauche)*, obéit à bien des conventions de la nature morte du XVIIIe siècle du fait de sa perspective linéaire et de l'apparition d'un mobilier doré et d'une verrerie opulente. *Le Vase bleu (en haut, à l'extrême droite)* montre que l'influence impressionniste avait allégé la palette de Cézanne au cours des années 70. Les œuvres postérieures portent la marque du style de Cézanne dans sa maturité, composition complexe et distorsion harmonieuse de la perspective. Cézanne s'est appliqué pendant plus d'un an au dernier tableau et, bien qu'il paraisse complet, il considérait l'avoir laissé inachevé.

Oignons et bouteille, 1895-1900

Cerises et pêches, 1883-1887

Le Vase bleu, 1883-1887

Les Grosses pommes, 1890-1894

Pommes et oranges, 1895-1900

Nature morte (aquarelle), v. 1895-1900

Bouquet de fleurs, 1902-1903

La Table de cuisine : Nature morte au panier de fruits, 1888-1890

Cette nature morte, peinte lorsque Cézanne était en pleine possession de ses moyens, démontre la vivacité de ses préoccupations d'ordre et d'harmonie. Après avoir disposé les objets avec son soin habituel, Cézanne a délibérément donné l'impression d'une composition au hasard, impression qui disparaît lorsque l'on analyse le tableau. Chaque élément, si insignifiant qu'il paraisse, est essentiel à l'ensemble. Par exemple, si l'on recouvre la poire verte qui apparaît sur le bord de la table, on déséquilibre le tableau qui verse à gauche. Parce qu'elle est un élément formel important, Cézanne a donné à cette poire une taille disproportionnée. D'autres entorses à la réalité apparaissent qui servent à unifier la surface du tableau. Le bord de la table devant est brisé sous la nappe ; les surfaces à droite et à gauche ne se raccordent pas ; le panier de fruits est vu simultanément sous deux angles différents, le sommet d'en haut, le côté de face. Ces changements de points de vue font aller et venir l'œil du spectateur à travers la toile, soulignant ainsi que c'est la surface de celle-ci qui constitue la vraie réalité de la peinture.

Cézanne ne parvenait à ordonner ses natures mortes, comme ses autres peintures, que par un travail long et difficile. Peu à peu, il équilibrait une forme par une autre forme, une couleur par une autre couleur, modifiant souvent le contour d'un objet plusieurs fois pour le rendre complémentaire d'une forme adjacente. Au cours de ce processus, il appliquait plusieurs couches de peinture dont l'effet apparaît clairement dans le détail agrandi qui figure sur les pages suivantes. Mais l'excès de peinture systématique ne ternit jamais le brillant des couleurs, ni ne dérobe au tableau sa spontanéité et sa vie.

137

140

VII

Une explosion de couleurs

« Soudain la porte s'ouvrait. Quelqu'un entrait avec un air presque exagéré de pudeur et de discrétion. Il avait une figure de petit bourgeois ou de fermier aisé, finaud, cérémonieux avec cela. Il avait le dos un peu rond, un teint halé, marqué de teintes brique, le front nu, des cheveux blancs s'échappant en longues mèches, de petits yeux perçants et fureteurs, un nez bourbonien, un peu rouge, de courtes moustaches tombantes et une barbiche militaire. Tel, j'ai vu Paul Cézanne... »

L'auteur de ces lignes était Edmond Jaloux, à l'époque jeune poète et critique. Jaloux rencontra Cézanne à Aix vers la fin des années 90, à un déjeuner offert par Joachim Gasquet, fils d'un vieux camarade d'école de Cézanne, le boulanger Henri Gasquet. Jaloux emporta un souvenir vivace, non seulement du physique de Cézanne mais aussi de sa façon de parler — « nasillarde, lente, méticuleuse, avec quelque chose de soigneux et de caressant. » En une autre occasion, dans la même maison, un autre poète, ami de Jaloux, Louis Aurenche, rencontra lui aussi Cézanne. Aurenche, qui pensait que Cézanne paraissait « extrêmement malheureux », l'observa au moment où il entrait dans le salon et s'arrêtait, « silencieux, intimidé, presque confus... Mme Gasquet me conduisit vers lui et lui présenta chacun de nous, à son tour. A chaque présentation, Cézanne s'inclinait profondément, balbutiant quelques mots inintelligibles; un long silence tomba alors. A table, Cézanne conversait principalement avec sa voisine, Mme Gasquet, et parfois je le voyais s'interrompre soudain et rougir. Imaginant qu'un mot trop cru pouvait avoir choqué l'un des invités, il restait silencieux un long moment. Il nous laissa avant trois heures pour ne pas être en retard aux vêpres à Saint-Sauveur ».

Ce tableau de Cézanne vers la fin de sa vie — confus, mal à l'aise, mais poursuivant avec ténacité la conquête de son art, nous vient, pour l'essentiel, de jeunes hommes comme Jaloux et Aurenche, aspirants poètes et romanciers qui rencontrèrent le peintre grâce à l'amitié qui les liait à Émile Solari ou Joachim Gasquet. Solari et Gasquet avaient été, l'un et l'autre, présentés à Cézanne par leurs pères, contemporains et vieux amis du peintre. Le jeune Gasquet se rappelle très bien la première rencontre.

Un dimanche après-midi, pendant le printemps de 1896, Cézanne s'était assis dans un café d'Aix avec Philippe Solari, Henri Gasquet et un autre ami, Numa Coste, lorsque Joachim Gasquet vint à passer. Sans réfléchir, celui-ci s'arrêta devant la table pour dire à Cézanne combien il admirait son art. Cézanne vira au rouge, se leva, frappa la table de son poing, faisant tomber verres et bouteilles et, avec un « regard terrible », s'écria : « Ne vous moquez pas de moi, jeune homme! » Lorsqu'il comprit qu'il parlait au fils de son vieil ami, il lui présenta des excuses : « Je ne suis qu'un vieux fou qui a envie de pleurer en vous écoutant. »

En une autre occasion, le jeune Gasquet et sa femme rencontrèrent Cézanne dans la rue et le saluèrent. Cézanne donna l'impression de ne pas les voir. Le lendemain, Gasquet reçu une lettre de Cézanne : « Je vous ai rencontré au bas du cours, ce soir, » affirmait-il pour commencer. « Vous étiez accompagné de Mme Gasquet. Si je ne me trompe, vous m'avez paru fortement fâché contre moi. Si vous pouviez me voir en dedans, l'homme du dedans, vous ne le seriez pas. Vous ne voyez donc pas à quel triste état je suis réduit. Pas maître de moi, l'homme qui n'existe pas... »

Le malentendu fut dissipé; Cézanne et le jeune Gasquet demeurèrent très proches pendant plusieurs années. Mais Cézanne se mit à suspecter Gasquet d'essayer d'obtenir des tableaux de lui à des fins spéculatives, et leur amitié se termina. D'autres finirent aussi brutalement. Cézanne se fâcha contre le jeune peintre Louis Le Bail lorsque celui-ci, agissant pourtant sur instructions, vint pour le réveiller après la sieste de l'après-midi et, qu'ayant frappé à la porte sans réponse, il entra dans l'atelier où Cézanne dormait. Furieux, ce dernier envoya chercher une toile qu'il avait laissée chez Le Bail. « La façon un peu trop cavalière avec laquelle vous vous permettez de vous présenter chez moi n'est pas pour me plaire... » lui écrivit-il. Il adopta le même ton dans une note du 5 juillet 1895, adressée au peintre Francisco Oller, qu'il avait connu trente ans auparavant à l'Atelier suisse. Les deux amis se querellèrent lorsque Oller, rendant visite à Cézanne au Jas de Bouffan, donna à celui-ci son avis sur la peinture. Cézanne lui écrivit : « Le ton d'autorité que vous prenez à mon égard depuis quelque temps, et la façon un peu trop cavalière dont vous vous êtes permis d'en user... ne sont pas faits pour me plaire. Je suis résolu à ne pas vous recevoir dans la maison de mon père. Les leçons que vous vous permettez de me donner auront ainsi porté tous leurs fruits. Adieu donc. »

À cette époque, Cézanne s'aliéna presque tous les peintres avec lesquels il était resté en bons termes. Oller et d'autres rapportent que Cézanne avait traité Monet de « vaurien », Renoir d'« entremetteur », Pissarro de « vieux fou » et qu'il avait dit que Degas « manquait de tripes. » (Cependant, lorsqu'il était de bonne humeur, il demeurait capable de jugement généreux : « Pissarro était proche de la nature; Renoir a fait la femme de Paris; Monet a donné une vision, ce qui suit ne compte pas. »)

Pissarro lui-même désespéra de conserver des liens avec Cézanne. Un certain docteur Aguiar, ami de la famille Pissarro, avait vu Cézanne à Aix (bien qu'il ne l'ait apparemment pas examiné) et concluait qu'il était physiquement malade et épuisé. Après s'être assuré auprès du médecin que Cézanne n'était pas responsable de ses accès de rage, Pissarro écrivit à son fils Lucien : « N'est-il pas triste qu'un homme doué d'un si beau tempérament fasse preuve de si peu d'équilibre? »

Il paraît évident que la personnalité déjà troublée de Cézanne se détériora complètement durant la dernière décennie de son existence; le phénomène fut probablement aggravé par le diabète dont il commença à souffrir vers 1890. Un voisin de Cézanne raconte que l'artiste entrait et sortait de son atelier en jetant des regards apeurés par-dessus son épaule, comme s'il avait peur d'être poursuivi. Le critique Jean Royère se le rappelle, vers 1895, « si nerveux qu'il ne pouvait pas rester en place; il éclatait de rire, puis avait ses humeurs. Ses tics trahissaient une sensibilité exaspérée... » Mais Royère s'était laissé impressionné comme beaucoup d'autres : « Vous saviez immédiatement que la personne devant vous était quelqu'un. »

Comme Cézanne devenait de plus en plus difficile à vivre, sa femme et son fils passaient de plus en plus de temps loin de lui, à Paris. En avril 1896, Numa Coste se rendit à Aix et, comme il l'avait fait quelques années auparavant, écrivit à Zola une lettre en lui racontant les affaires de famille de Cézanne : « Sa femme doit lui avoir fait faire pas mal de folies. Il doit aller à Paris ou en revenir selon ses ordres à elle. Pour avoir la paix, il a dû lui donner tout ce qu'il possède... »

Il semble que de vieux amis comme Coste donnaient à Cézanne des nouvelles de Zola comme ils en donnaient à Zola de Cézanne. Mais le coup final porté aux longues relations des deux camarades d'école se produisit quelques semaines après que fut écrite la lettre que nous venons de citer. Zola rendit visite à Coste à Aix, mais ne fit aucun effort pour voir Cézanne. Cette reconnaissance tacite de la fin de leur amitié eut, dit-on, pour effet, de blesser profondément Cézanne. En 1899, pendant l'affaire Dreyfus, Cézanne déjeunait à Paris avec Joachim Gasquet, qui le prit par le bras après le déjeuner et essaya de l'emmener chez Zola où lui, Gasquet, était attendu. Mais Cézanne parut si effrayé que Gasquet fut obligé de le laisser partir.

Cézanne n'avait plus que quelques amis à Aix mais il aimait toujours goûter avec eux des plaisirs simples. Toujours il avait été grand marcheur; bien que, d'ordinaire, il parcourût seul la campagne, il partait, à l'occasion, en expédition avec d'autres, comme le prouve une note d'Émile Solari dans son journal, à la date du 8 novembre 1895 : « Hier nous sommes allés en excursion — mon père, Cézanne, Emperaire et moi.

« Cézanne, grand, les cheveux blancs, et Emperaire, petit et déformé, faisaient une étrange combinaison. On aurait pu imaginer un Méphisto nain en compagnie d'un vieux Faust. Un peu plus tard, après avoir franchi une longue bande de terrain planté de petits arbres, nous nous trouvâmes soudain face à face avec un inoubliable paysage, la montagne Sainte-Victoire au fond et, à droite, les plans déclinants des... collines de Marseille. C'était à la fois immense et intime. En dessous, la digue du barrage Zola avec ses eaux verdâtres. Nous déjeunâmes à Saint-Marc, sous un figuier, de provisions achetées à la cantine d'une équipe de terrassiers. La nuit nous dînâmes au Tholonet, après avoir traversé à pied les collines pierreuses. Le retour fut très gai, terni seulement par une chute d'Emperaire; il avait un peu trop bu et se fit très mal. Nous le ramenâmes à la maison. »

Pour beaucoup de ces excursions, Cézanne s'était choisi une base d'opérations, le Château-Noir, étrange bâtisse rougeâtre aux fenêtres gothiques, pas très éloigné de la carrière de Bibémus. Pendant quelques années, l'artiste y loua une pièce dans l'aile ouest; il y travaillait et y rangeait son matériel de peinture (d'ordinaire il dormait au Jas de Bouffan).

Pour se perfectionner dans l'étude du corps humain, Cézanne exécutait de nombreux dessins d'après les sculptures du Louvre. Le croquis au crayon *(ci-dessous)* du buste de Voltaire a été exécuté au Louvre d'après la célèbre œuvre de Houdon *(ci-dessus)*. A l'évidence, la curiosité de Cézanne était éveillée par la figure au front haut et aux joues creuses du modèle; il en a saisi les traits saillants dans son dessin.

De là, il partait peindre les paysages à l'est d'Aix — c'est-à-dire, le Château-Noir lui-même *(page 151)*, la végétation qui l'entourait, les forêts de pins ressemblant à de massives formations rocheuses, la pierre ocre de la carrière et la montagne Sainte-Victoire toujours présente.

En octobre 1897, la mère de Cézanne mourut à l'âge de 82 ans. Ce fut certainement une grande perte pour ce fils qui avait été si près d'elle, mais on en trouve peu de trace dans la correspondance de celui-ci. A la fin d'une lettre écrite à Émile Solari deux semaines après, il ajoute, « Quand ces quelques lignes vous parviendront, vous aurez appris la mort de ma pauvre mère. » C'est la seule mention que l'on trouve de l'événement.

Pourtant, la mort de sa mère allait bouleverser sa vie quotidienne. En 1899, ses sœurs vendirent le Jas de Bouffan malgré ses objections. Sans doute, héritier lui-même de Louis-Auguste, Cézanne aurait-il pu contester la décision, mais il ne fit apparemment aucun effort dans ce sens. Marie Cézanne qui gérait les affaires de Paul donna à son beau-frère Maxime Conil son accord pour une vente rapide de la maison de sorte que la succession fût vite réglée. C'est un certain Louis Granet qui l'acheta en 1899.

Ayant besoin de se loger, Cézanne voulut acheter le Château-Noir mais on déclina son offre. Aussi emménagea-t-il dans un appartement, à Aix — au 23 de la rue Boulegon. Une domestique, Mme Bremond, tenait sa maison. Quadragénaire corpulente et d'un bon naturel, elle semble avoir déployé beaucoup d'habileté pour s'entendre avec son difficile employeur. « J'ai ordre de ne jamais le toucher, » déclara-t-elle à Émile Bernard, « pas même avec ma jupe quand je passe. »

Cet arrangement laissait Cézanne sans véritable atelier; aussi, en 1901, acheta-t-il une pièce de terrain sur une colline le long du chemin des Lauves, une route conduisant d'Aix à la campagne (*lauve* en provençal signifie « pierre plate »). Il y fit construire un atelier ayant vue sur la ville et la montagne Sainte-Victoire. Le bâtiment qui existe encore a un étage surmonté d'un toit de tuiles en pignon. Au rez-de-chaussée, l'entrée, une petite pièce dans laquelle Cézanne faisait la sieste à l'occasion, une salle à manger de taille modeste dans laquelle Mme Brémond lui servait parfois son repas de midi. A l'étage, on trouvait un grand atelier, haut de plafond, avec, dans le mur nord, une immense fenêtre sur toute la hauteur de la pièce. Dans le même mur, Cézanne fit ménager une fente à travers laquelle on pouvait descendre ses plus grands tableaux dans le jardin de sorte qu'il pût les contempler à la lumière du jour.

Cézanne avait des habitudes de travail d'une simplicité monacale. Levé avant l'aube, il gagnait son atelier à six heures et peignait jusqu'à onze. Après le déjeuner et la sieste, il sortait pour peindre « sur le motif » étant souvent obligé de charger sa toile pour l'empêcher de s'envoler sous le mistral froid et dur. Il rentrait dîner tôt et se mettait au lit à six heures de façon à pouvoir se lever avec le jour.

Dans ses efforts pour « réaliser » ses peintures, Cézanne devenait de plus en plus exigeant à l'égard de lui-même. Nombre de visiteurs déclarent qu'ils ont vu le sol de son atelier couvert d'aquarelles et d'huiles qu'il rejetait. Et l'on raconte que lorsqu'il quitta la pièce qu'il louait au Château-Noir, il brûla de nombreuses toiles sur la terrasse.

Comme toujours, il vivait absorbé dans son art et en lui-même. Il ne travaillait pas à son allure ancienne — « On doit être jeune pour produire beaucoup », écrivait-il à son fils — mais il travaillait calmement avec sa concentration habituelle. En réalité, il semblait vivre la plupart du temps dans un monde qu'aucun visiteur ne pouvait pénétrer. Le poète Léo Larguier rappelle qu'au milieu d'une conversation générale, au cours d'un déjeuner dominical, Cézanne remarqua : « Tout en moi est peintre! » en réponse, sans doute, à une question informulée que seul son esprit avait entendue. Il quitta alors la table et retourna dans son atelier pour y travailler encore.

La peinture de Cézanne à la fin du siècle entra dans une phase nouvelle et ultime dans laquelle la couleur domina de plus en plus. Comme toujours avec lui, le changement ne fut pas absolu : des éléments de son style classique apparaîtront dans son œuvre jusqu'à sa mort. Mais dans les aquarelles et les huiles caractéristiques de la fin de sa vie, les contours deviennent diffus au point qu'ils ne donnent qu'une indication très rudimentaire des masses. La couleur devient plus intense et plus prépondérante que jamais dans la détermination de la forme; elle est étalée librement à grands coups d'eau ou de peinture diluée, ou en nombreux coups de brosse très chargés qui se traduisent par une texture dense, chatoyante, semblable à la mosaïque. Lorsqu'il travaillait dans ce style, Cézanne n'appliquait qu'une seule couche de peinture sur une toile presque sans préparation qui absorbait ainsi l'huile du pigment.

Cette façon de se servir de la couleur avait pour effet de dissoudre les formes et de les fondre entre elles, donnant une apparence abstraite à la surface. Lorsque Cézanne se mit de plus en plus à entremêler les plans de couleurs pour définir l'espace et lier entre elles les différentes zones du tableau, il en vint nécessairement à sacrifier la solidité de la forme. C'est avec les plaques de couleurs qui flottent librement dans ses dernières peintures que Cézanne s'est approché le plus de l'art abstrait. Il est intéressant de remarquer que cette dissolution de la forme et cette intensification de la couleur sont caractéristiques de nombreux peintres âgés — Titien, Rembrandt et Monet en sont des grands exemples.

Le désir de Cézanne d'appliquer librement la couleur trouva sa pleine expression dans les aquarelles auxquelles il accorda beaucoup d'importance au cours de ses dernières années. Certes, il en peignit pendant toute sa carrière, mais la plupart des 400 qui nous sont restées ont été exécutées après 1890. La chose est en partie due à sa santé chancelante; il trouvait plus facile de porter sa boîte d'aquarelle que son matériel de peinture à l'huile. Mais c'est aussi parce que l'aquarelle constituait un moyen idéal d'étudier le potentiel constructif des plans de couleurs; tant et si bien que lorsque Matisse voulut, plus tard, apprendre comment Cézanne maniait la couleur, il s'intéressa aux aquarelles plutôt qu'aux huiles.

Cézanne peignit deux sortes d'aquarelles. Certaines des plus remarquables ne sont guère que des dessins légèrement soulignés par de la couleur. Le poète allemand Rainer Maria Rilke, secrétaire de Rodin et membre du cercle artistique parisien de l'époque, les décrivit ainsi : « Elles sont très belles; elles révèlent autant d'assurance que les peintures et sont aussi légères que les autres sont massives. Paysages, croquis au crayon sur lesquels, ici et là, comme pour souligner ou confirmer, tombe une trace de couleur, sans prétention; une succession de traits admirablement disposés avec une sûreté de touche, comme l'écho d'une mélodie. »

Lorsque Cézanne exécuta le croquis de ces trois voluptueuses naïades d'après un tableau de Rubens, il suivait les traces d'autres peintres français pour lesquels l'éclat des couleurs et l'opulence de la ligne baroque de l'artiste flamand avaient eu longtemps un attrait particulier. Au cours des siècles précédents, Watteau et Delacroix s'étaient eux aussi inspirés de Rubens — à la vérité, Delacroix avait déjà dessiné ce groupe de personnages. Malgré son admiration pour le style de Rubens — il nous a laissé des dizaines de dessins d'après les œuvres du vieux maître —, Cézanne a une manière personnelle totalement différente de traiter la figure comme on peut le voir d'après les peintures des pages 112 à 115.

Les autres aquarelles étaient faites de touches et de taches très nombreuses et légères superposées l'une sur l'autre comme dans *la Rivière au pont des Trois-Sautets (pages 158-159)*. Pour empêcher les différentes couches de se fondre, Cézanne devait laisser chacune d'elles sécher complètement avant d'appliquer la suivante. Cette méthode extrêmement lente a créé un type jamais vu encore. Le spectateur a l'impression de regarder à travers plusieurs couches translucides différemment colorées et se mouvant sans fin, chacune distincte mais modifiée par celles existant dessus et dessous. Cette interaction des plans de couleurs ne cerne pas les formes avec précision mais suggère le gros de leur contour et leur position, avec pour résultat que pommes, arbres, maisons, semblent emportés dans un flux constant.

Cézanne utilisa souvent l'aquarelle pour les études préliminaires à des peintures à l'huile mais l'intérêt qu'il y prit fut beaucoup plus qu'expérimental. Il en peignit qui furent de vraies œuvres. Les meilleures d'entre elles combinent la force des huiles avec une légèreté et une délicatesse rarement atteintes par les peintres du XIXe siècle.

Les innovations de Cézanne dans l'aquarelle eurent des conséquences sur ses huiles, surtout dans ses derniers paysages. Dans beaucoup des tableaux représentant le Château-Noir, les formes des buissons et des arbres sont brisées et fondues en une seule surface agitée. Les représentations de la montagne Sainte-Victoire produites pendant cette période sont encore plus inhabituelles. Dans trois paysages similaires vus du chemin des Lauves *(pages 156-157)*, Cézanne fait exploser le premier plan et les plans à mi-distance en plans fragmentaires — verts, bleus et jaunes — qui se reflètent dans le ciel. Ceci donne l'extraordinaire effet d'un air vivant sur la terre, ondoyant et se soulevant comme l'eau d'un torrent.

Au cours des dernières années de sa vie, Cézanne peignit aussi de nombreux portraits, prenant des paysans d'Aix pour modèles. Cette série commence après 1900 avec le *Paysan assis* et se termine par le dernier *Portrait de Vallier (page 140)* sur lequel Cézanne travaillait quelques jours avant sa mort. Vallier, qui était jardinier à l'atelier, a posé pour trois aquarelles et trois huiles qui comptent parmi les études psychologiques les plus pénétrantes que Cézanne réalisa jamais. La personnalité du modèle — simple, digne et plein d'énergie intérieure — est moins traduite par les traits, qui sont très légèrement dessinés, que par la posture retenue et la plénitude de la forme. Dans le style caractéristique de la dernière période, le premier plan et l'arrière-plan sont mélangés grâce à des taches de couleur d'intensité variable qui évoque l'effet de la lumière sortant d'un prisme.

Vers la fin de sa vie, Cézanne revint à un thème qui l'avait hanté depuis qu'il avait vu *le Déjeuner sur l'herbe* de Manet, en 1863 — celui du nu dans un paysage. Cézanne avait commencé de peindre des nus en extérieur dès 1877 et, entre 1883 et 1895, il exécuta dix compositions de baigneurs. Après 1895, il peignit surtout des baigneuses. De la douzaine de compositions ou plus sur ce thème, la plus grande et la plus célèbre est celle des *Grandes baigneuses (pages 114-115)* large de 2,49 m, sur laquelle il travailla de 1895 jusqu'à l'année de sa mort, et qu'il laissa inachevée.

Cézanne avait toujours désiré faire un grand tableau représentant des baigneuses « d'après nature », expliqua-t-il un jour à Émile Bernard, mais il trouvait beaucoup d'obstacles sur son chemin. « Par exemple,

disait-il, comment trouver le cadre qu'il me faut, un cadre qui ne
diffère pas beaucoup de celui que je vois en esprit ; comment rassembler
le nombre nécessaire de personnes ; comment trouver des hommes
et des femmes acceptant de se déshabiller et de rester immobiles dans
les pauses que je déterminerais. En outre, il y avait la difficulté
d'apporter une grande toile, et les milliers de difficultés ayant trait
au temps, beau ou mauvais, à l'endroit où travailler, aux fournitures
nécessaires à l'exécution d'une œuvre aussi grande. Ainsi ai-je été
obligé d'abandonner mon projet de faire du Poussin entièrement
d'après nature au lieu de travailler morceau par morceau d'après
des notes, des dessins et des fragments d'études ; en bref, de peindre
un Poussin vivant au grand air, avec de la couleur et de la lumière. »

Forcé de construire son tableau « pièce à pièce », Cézanne travailla
d'après sa collection de reproductions d'œuvres du Greco, de Courbet,
de Delacroix, de Poussin et de Rubens ; d'après des dessins exécutés
par lui à l'école, trente-cinq ans auparavant ; et d'après des croquis de
statues du Louvre.

La composition des *Grandes baigneuses* est sévèrement triangulaire ;
avec sa monumentale voûte gothique d'arbres, elle est souvent citée
comme la plus classique des compositions de Cézanne, impression
renforcée par la disposition formelle des silhouettes groupées comme
dans une frise. La scène, en réalité, ne comporte aucune des conno-
tations normalement associées avec le bain. Son atmosphère est extraordinaire. Tout semble noyé de bleu — couleur que Cézanne affec-
tionna de plus en plus en vieillissant — et il est difficile, à première
vue, de distinguer le feuillage du ciel et de l'eau. Même les corps des
baigneuses, peints si légèrement qu'ils semblent presque avoir été
exécutés à l'eau, sont atteints par cette marée de bleu.

C'est la façon dont Cézanne a traité les silhouettes qui a, plus que
tout le reste, causé la fureur qui accueillit le tableau lorsqu'il fut
exposé pour la première fois. Personne avant Cézanne n'avait procédé
avec autant d'audace à la simplification des personnages humains.
L'intérêt qu'il prenait à leur représentation conventionnelle était si
mince que ceux-ci paraissent souvent ne pas avoir de visage et qu'il
est parfois difficile de déterminer leur sexe.

Mal à l'aise en présence de modèles
nus, Cézanne dut travailler d'après
croquis et photographies lorsqu'il
composa ses tableaux représentant
des baigneurs. Le dessin ci-dessus
est une copie d'un Signorelli.
Ci-dessous, on peut voir la
photographie d'un modèle trouvée
collée au dos d'un croquis de Cézanne :
le personnage figure presque sans
modifications dans le tableau de
la page 112.

Cézanne essayait d'atteindre un but toujours reculé : intégrer ses
personnages dans la structure globale du tableau, les relier rythmi-
quement aux montagnes, aux arbres, aux buissons, aux nuages, au
ciel, aux prairies et à l'eau, et ne leur donner ni plus ni moins d'importance qu'aux autres formes. Comme le remarquait Joachim Gasquet,
Cézanne désirait « marier les courbes des corps féminins aux épaule-
ments des collines. »

Le succès de ses efforts a été attesté d'une façon fort émouvante par
Matisse, de longues années plus tard. En 1899, alors pauvre et inconnu,
celui-ci avait acheté à Vollard, au prix d'un sacrifice considérable,
une petite toile de Cézanne, *les Trois baigneuses* l'une des nombreuses études ayant précédé *les Grandes baigneuses*. Matisse conserva
le tableau jusqu'en 1936 ; il l'offrit alors au Petit Palais de Paris.
Dans une lettre adressée au directeur du musée, il remarquait qu'après
trente-sept ans il connaissait *les Trois baigneuses* « vraiment très bien,
je l'espère, mais pourtant pas complètement ; le tableau m'a soutenu
spirituellement dans les moments critiques de ma carrière d'artiste ;
j'ai tiré de lui ma foi et ma persévérance. »

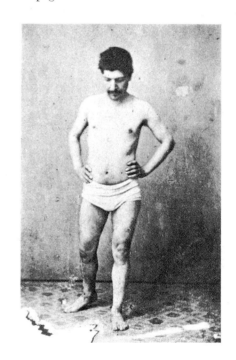

Cézanne n'a réellement jamais quitté le doux pays des collines autour d'Aix, le foyer de sa vie d'enfant en Provence. Pendant les deux dernières décennies de son existence, il peignit plus de 150 paysages à l'huile et près de 170 aquarelles, presque toutes étant des scènes du pays. Lorsqu'à l'occasion il travaillait hors de Provence, il retournait vers sa belle région encore et toujours, fasciné par ses entassements angulaires de rochers, ses taches de feuillage aux couleurs intenses et, en particulier, son soleil qui illumine brillamment tous les aspects de la terre.

Les derniers paysages, comme toutes les dernières créations de Cézanne, donnent une impression de grande stabilité et de permanence hors du temps. Il est impossible de dire, par exemple, quelle heure du jour, ou quelle saison, se reflète dans le tableau ci-contre. La pendule s'est arrêtée au-dessus d'une terre où c'est toujours l'été. Que le sujet — des montagnes, des vallées et des forêts — soit permanent en lui-même ne rend que partiellement compte de cette sensation, car l'intention délibérée de Cézanne était de ne rendre que l'immuable. Il passait souvent des mois à peindre et à repeindre la même toile jusqu'à ce qu'il ait identifié les formes permanentes d'une scène.

En vieillissant, Cézanne se mit à peindre de façon plus spontanée et plus exubérante. Ne visant pas une représentation stricte de la nature, il créa des formes vivantes qui sont presque des abstractions en couleurs. Dans ses derniers paysages, qui constituent un hymne à sa Provence bien-aimée, il révèle la maturité de son art et la maîtrise totale de sa palette.

Hommage à la Provence

Partie de l'œuvre provençale de Cézanne, le tableau ci-contre montre le petit village de Gardanne, où Hortense, sa maîtresse, et Paul, leur enfant, vécurent un certain temps. L'amoncellement des bâtiments, qui tire l'œil vers le haut jusqu'au sommet du clocher au faîte de la colline, montre comment Cézanne allait droit au cœur de ses sujets et imposait son ordre.

Vue de Gardanne, 1885-1886

Bon nombre des bâtisses qui parsèment le pays autour d'Aix figurent dans les paysages de Cézanne. Parfois, il s'intéressait à une particularité de leur structure, par exemple le mur lézardé de la ruine dans le tableau ci-contre. Parfois, il se laissait émouvoir par une légende locale. Le *Château-Noir (à l'extrême droite, en haut)* était, prétendait-on, hanté par le fantôme d'un alchimiste; aussi Cézanne donna-t-il au bâtiment un air de mystère en le dissimulant partiellement dans l'obscurité née d'un épais rideau de feuillage.

Souvent, il peignait sur le domaine de son beau-frère qui possédait un pigeonnier *(ci-dessous)*. La forme cylindrique de celui-ci attirait particulièrement Cézanne dont la tendance était de réduire ses sujets à des formes géométriques. Le *Jas de Bouffan et sa ferme (en bas, à droite)*, la demeure familiale de Cézanne pendant près d'un demi-siècle, comptait parmi ses motifs favoris. Ici, comme dans d'autres paysages, il écartait les gens, les animaux et tout élément transitoire qui aurait rompu le caractère immuable du paysage.

La Maison lézardée, 1892-1894

Pigeonnier à Bellevue, 1888-1892

Le Château-Noir, v. 1904

Maison et ferme du Jas de Bouffan, 1885-1887

Cézanne peignit deux des trois paysages ci-dessous hors de la Provence. Le *Château de Médan (en bas à gauche)* est situé sur les rives de la Seine à quelques kilomètres de Paris (la maison à lucarnes à l'extrême droite est la maison de campagne de son ami Émile Zola). Parfois, Cézanne était déçu par les paysages qu'il voyait pendant ses voyages. Au lac d'Annecy, près de la frontière suisse, par exemple, il trouva les Alpes presque trop pittoresques et étouffantes; il compara leur

Le Golfe de Marseille vu de l'Estaque, 1883-1885

Le Château de Médan, 1879-1881

valeur picturale de cartes postales à « l'exercice de dessin de jeunes filles en excursion. » La façon dont Cézanne traite l'eau, et en particulier celle dont il manie les reflets dans son tableau *(ci-dessous)* du lac d'Annecy, fait apparaître la différence qui existe entre sa peinture et celle des Impressionnistes de la même époque. Chaque fois que Cézanne peint l'eau (comme dans les tableaux présentés ci-dessous), il la rend dense et opaque, jamais transparente ni fragmentée comme chez les Impressionnistes. Et, quand il dépeint les reflets des arbres sur la surface du lac, ils sont stables et solides comme une pièce d'architecture.

Après des excursions hors de son pays, Cézanne revenait peindre les panoramas qui l'attachaient, telle la baie de Marseille *(en haut, à gauche)*. Ainsi qu'il écrivait des Alpes à un ami rentré en Provence, « Lorsque l'on est né là-bas... rien d'autre n'a de sens. »

Le Lac d'Annecy, 1896

La Montagne Sainte-Victoire, 1885-1887

Toute sa vie, Cézanne fut obsédé par une montagne, une arête de pierre calcaire située à environ 15 km d'Aix. Nommée montagne Sainte-Victoire d'après un soldat romain qui se convertit au christianisme et souffrit le martyre plutôt que de renoncer à sa foi nouvelle, la montagne n'a rien d'impressionnant si on la compare aux Alpes puisqu'elle ne s'élève guère au-dessus de 1000 mètres. Mais, dans le paysage bas de la Provence environnante, elle accroche nécessairement la vue. La montagne Sainte-Victoire s'est révélée une source infinie de sujets pour Cézanne qui la peignit au moins 60 fois, sous tous les angles possibles.

Les deux vues de la montagne que nous présentons sur ces deux pages ont été peintes à deux ans de distance. Elles illustrent de façon frappante les différentes approches du sujet. Dans le paysage de gauche, on n'a qu'un aperçu de la

La Montagne Sainte-Victoire (avec route), 1898-1902

montagne Sainte-Victoire tandis qu'il est l'élément prédominant de l'autre tableau. Et, parce que Cézanne a réduit l'illusion de profondeur dans le second tableau, la montagne semble s'avancer jusqu'au premier plan. Les deux peintures diffèrent aussi dans leur composition. Dans la première, l'importance accordée aux lignes verticales et horizontales est soulignée par l'intersection de l'arbre central et du viaduc mais l'attention est en partie détournée par la petite route de terre qui court en diagonale à travers la vallée et l'étendue panoramique de terrain qui occupe la plus grande partie du tableau. Le second est beaucoup plus simple, car il ne comporte que trois vagues successives de lignes horizontales — les rochers et la route au premier plan, la maison et les buissons dans la vallée, et enfin la montagne — dans lesquelles les volumes doivent leur audace à la force des couleurs.

Les deux tableaux montrent d'une autre manière comment les formes architecturales fascinaient Cézanne. Non seulement incluait-il un viaduc aux arches multiples dans la peinture de gauche et une maison jaune dans celle de droite mais, dans l'une et l'autre, il traitait la nature comme si elle aussi était architecture. Le plan moyen du premier tableau est d'une composition presque mathématique, formant une grille complexe de carrés et de rectangles. Dans l'autre tableau, les crêtes de la montagne s'élevant lentement sont coupées comme des marches dans une surface rocheuse.

Cette reprise du même sujet par Cézanne reflète les efforts inlassables d'un artiste désireux de découvrir de nouveaux rapports dans la nature, des perceptions toujours plus profondes d'un ordre implicite qui n'apparaît que rarement avec évidence dans l'examen rapide de la surface de la terre.

Au début du XXe siècle, les
toiles de Cézanne devinrent de plus
en plus libres et presque abstraites.
La surface rapiécée de couleurs
vivantes qui composent la vallée
dans cette vue de la montagne
Sainte-Victoire — c'est l'un des
derniers tableaux représentant la
montagne — a une exubérance qui
n'existe pas dans les œuvres
précédentes. Et, bien que les couleurs
et les positions de nombreuses
formes continuent de suggérer une
architecture concrète de vrais
arbres, la toile, dans son ensemble,
a une apparence non figurative très
frappante. En particulier, les formes
les plus proches du bord inférieur
du tableau n'ont que peu de
ressemblance avec du vrai feuillage.

Les larges étalements de bleu et
blanc du ciel semblent flotter non
dans le lointain mais sur le plan
même du tableau. Avec les coups
de brosse du bas de la toile, ces
plaques de couleur affirment que la
toile est une surface peinte à deux
dimensions — c'est une réfutation
frappante de la rigidité tridimensionnelle des paysages plus conventionnels.
La terre, la montagne et le ciel
ne constituent qu'une entité solide
unique liée par une magistrale
poussée de la couleur vers le haut,
poussée qui démarre au bord
inférieur du tableau pour culminer
dans le ciel près du bord supérieur.

Cette peinture est l'un des derniers
et des plus grands chefs-d'œuvre de
Cézanne; mais la tragédie du sort
fut que celui-ci ne se rendit jamais
compte de l'union parfaite de la
couleur et de la composition qu'il
avait atteinte si dramatiquement dans
cette œuvre et d'autres parmi ses
dernières créations. Toujours le plus
virulent critique de son œuvre, il
se lamentait ainsi dans une lettre :
« La vieillesse et la mauvaise santé
veilleront désormais à ce que le rêve
artistique que j'ai passé ma vie à
poursuivre ne devienne jamais
réalité. »

La Montagne Sainte-Victoire, 1904-1906

Au cours des années 1890, Cézanne exécuta beaucoup d'aquarelles. A l'opposé de la peinture à l'huile qui permet à l'artiste de corriger ses fautes en passant une couche de plus ou en grattant la couleur pour recommencer après, l'aquarelle ne permet aucune erreur puisque chaque coup de pinceau est transparent et indélébile. Lorsqu'il eut atteint la maîtrise de son art, Cézanne avait assez de dextérité pour travailler sans commettre d'erreur sur une matière aussi délicate, qui était mieux adaptée à son style de plus en plus spontané que le processus plus long de la peinture à l'huile.

Souvent, l'après-midi, pendant le dernier été de sa vie, il prenait sa boîte de couleurs et allait s'installer sur les rives de l'Arc où il exécuta cet étonnant tableau. Ces formes agitées sont faites de touches de couleur pure et l'arche représente un petit pont pour piétons qui traverse toute la composition. Là où une tache blanche suffisait, il se contentait de laisser apparaître le papier — c'est une indication supplémentaire de la spontanéité de ses dernières créations.

L'endroit, situé sous une voûte d'arbres dans une vallée près d'Aix, est celui qui accueillait Cézanne et Émile Zola lorsqu'ils allaient nager, l'été, pendant leurs vacances d'adolescents (voir le dessin de la page 23). Peut-être Cézanne se souvint-il de ces moments joyeux lorsqu'il peignit cette aquarelle car c'est l'une des plus libres et des plus heureuses de sa carrière.

La Rivière au pont des Trois-Sautets, 1906

VIII

L'illustre ermite d'Aix

Ambroise Vollard, le marchand de tableaux parisien dont l'appui permit à Cézanne de devenir célèbre, en eut plus que pour son argent lorsqu'il demanda à l'artiste de peindre son portrait. Il dut poser sans bouger, fût-ce d'un battement de paupières, pendant 115 séances difficiles, certaines d'entre elles durant trois heures et demie. Pourtant Cézanne, qui n'était pas satisfait de son tableau, se contenta de remarquer un jour que le plastron n'était pas mal.

Portrait d'Ambroise Vollard, 1899

A partir de 1895 environ, le monde commença à s'intéresser, très lentement, à Cézanne. A la petite coterie de jeunes admirateurs qui l'entouraient à Aix se joignaient des artistes, des collectionneurs et des marchands qui se rendaient en Provence pour voir le maître. Parmi ceux-ci, on compte les peintres Émile Bernard, Maurice Denis et Ker-Xavier Roussel, qui photographièrent tous Cézanne à l'œuvre et l'interrogèrent sur son art.

Que ces jeunes artistes aient voulu entendre les opinions de Cézanne constitue un tribut non seulement au génie de celui-ci mais à la légende qui commençait à l'entourer. L'histoire de cette légende — et de la réputation de Cézanne — est étrange. Tardivement, vers 1890, quelques peintres en vinrent à soutenir que son nom n'était que le pseudonyme d'un artiste de grande réputation qui refusait de reconnaître une œuvre aussi peu conventionnelle. Le critique André Mellerio écrivait en 1892, « Cézanne paraît un personnage fantastique; bien qu'il soit encore vivant, on parle de lui comme s'il était mort. » La même année, Gustave Geffroy surenchérissait : « Depuis longtemps, la destinée artistique de Cézanne est singulière, on pourrait dire de lui qu'il est à la fois inconnu et célèbre. »

Cézanne lui-même ne faisait pas grand-chose pour rendre son image plus claire. Il confiait à ses visiteurs ses doutes sur la « réalisation » de ses visions. Ces doutes devenaient plus aigus avec l'âge, et il les exprimait dans ses lettres comme dans sa conversation. Parfois, il paraissait tant divaguer et se contredire dans ses propos sur la peinture que certains de ses visiteurs — Bernard, qui aimait les certitudes, était l'un d'eux — décidaient qu'il n'était vraiment pas intelligent du tout. Cézanne pouvait dire, par exemple, que « l'Impressionnisme n'est plus nécessaire, c'est une absurdité! » et dans la même phrase rendre un extravagant hommage à Pissarro parce qu'il était l'un des maîtres de la technique impressionniste.

Maurice Denis le comprit mieux que la plupart des gens. « Cézanne était un penseur, disait-il, mais il ne pense pas la même chose tous les jours. Tous ceux qui l'ont approché lui ont fait dire ce qu'ils désiraient entendre. » L'observation pénétrante de Denis explique, en partie, pourquoi l'enseignement de Cézanne s'est vu si diversement interprété et pourquoi autant d'écoles se sont réclamées de lui.

Mais cela, c'était l'avenir. Au début des années 1890, bien peu de gens avaient vu une toile de Cézanne. A Paris, le seul endroit où on pouvait en trouver une était la boutique du père Tanguy, rue Clauzel. Van Gogh, Gauguin, Signac, Seurat et les peintres un peu plus jeunes tels Denis, Édouard Vuillard et Paul Sérusier avaient fait connaissance de ce que Denis appelait « les œuvres splendides et absurdes de Cézanne. » Ces hommes faisaient partie de l'avant-garde du monde artistique et, hors leur petit cercle, Cézanne était inconnu. A cet égard, il traînait loin derrière les peintres du groupe des Batignolles avec lesquels il avait commencé sa carrière. Au début des années 1890, ces Impressionnistes d'antan avaient presque gagné leur bataille : ils étaient connus, les collectionneurs les plus réputés achetaient leurs œuvres, ils demandaient des prix élevés — et pourtant ces prix ne représentaient qu'une fraction de ce que touchaient les grands peintres académiques de l'époque. Il ne leur manquait qu'une chose, entrer dans les musées. Mais, en 1895, ils y parvinrent — et Cézanne avec eux — à la suite du décès d'un riche collectionneur et peintre, Gustave Caillebotte.

Celui-ci avait connu la plupart des Impressionnistes depuis leur première exposition de groupe en 1874; il leur avait prêté de l'argent et leur avait acheté beaucoup de tableaux. Il était particulièrement lié avec Renoir et Monet, mais Cézanne et lui s'aimaient beaucoup.

Lorsque Caillebotte mourut en 1894 à l'âge de 45 ans, il légua à l'État une collection qui, au cours actuel du marché, vaudrait des dizaines de millions de francs. Elle comportait 65 tableaux dont quatre Manet, neuf Sisley, cinq Cézanne, sept Degas, deux Millet et huit Renoir. Caillebotte avait spécifié dans son testament que la collection devait être acceptée par le musée du Luxembourg telle quelle ou pas du tout.

Lorsque l'on connut les conditions du legs, les peintres traditionalistes protestèrent violemment. « Pour que la nation accepte pareille saleté », écrivait le peintre Léon Gérôme, membre de l'Académie, « il faut que le déclin moral soit grand. » Renoir, nommé exécuteur testamentaire, après une année épuisante de discussions avec les administrateurs traditionalistes du Luxembourg, aboutit avec les dirigeants du musée et les héritiers de Caillebotte à un compromis selon lequel 38 des tableaux de la collection trouveraient place au musée. Parmi ceux-ci, la *Vue de l'Estaque* et la *Cour de ferme à Auvers* furent les premiers tableaux de Cézanne à entrer en possession de l'État.

L'importance relative attachée par les dirigeants du musée aux différents peintres du legs Caillebotte apparaît dans un memorandum qui estime la valeur moyenne des œuvres de chaque peintre. Il en ressort qu'au milieu des années 1890, les peintres du groupe des Batignolles les plus appréciés par le public et les académiciens étaient Manet, qui voyait ses œuvres estimées par les experts du Louvre à 6 500 francs en moyenne; Monet qui les voyait estimées à 5 750 francs en moyenne; puis Renoir à 5 000 francs; et Degas à 4 070 francs. Pissarro et Sisley étaient beaucoup moins bien cotés à 1 857 francs et 1 333 francs respectivement, tandis que Cézanne arrivait bon dernier avec une valeur moyenne de 750 francs.

A la fin de 1895, cependant, une modification sensible apparut dans l'estimation faite par la critique — et par le public — de la valeur artistique de Cézanne. C'est le moment où Ambroise Vollard organisa une grande rétrospective de ses œuvres. C'était la première exposition consacrée à Cézanne seul, et ce fut une révélation, même pour les peintres qui en étaient directement responsables — Renoir, Monet, Pissarro et Guillaumin.

Tous les quatre avaient fait remarquer à Vollard que non seulement Cézanne n'avait jamais bénéficié d'une exposition exclusive mais encore que l'on n'avait pas vu son œuvre à Paris depuis près de vingt ans. Principalement sur l'avis de Pissarro, Vollard acheta à crédit cinq des six Cézanne de la collection de Tanguy. Puis, toujours sur le conseil de Pissarro, il écrivit à Cézanne qu'il désirait organiser une exposition rétrospective de son œuvre. D'Aix, Cézanne envoya 150 toiles non montées, roulées dans un ballot. C'était la production de plus d'un quart de siècle, et la grande majorité d'entre elles n'étaient jamais sorties de l'atelier du peintre. Vollard avait une boutique trop petite pour présenter tous les tableaux à la fois, aussi était-il forcé de procéder à une rotation.

Pour ce que nous en savons, Cézanne n'accompagna son envoi d'aucun commentaire, et il existe un trou de plus de dix mois dans sa correspondance à ce moment de sa vie; aussi est-il difficile de savoir comment il prit le projet. Il est vraisemblable qu'il ne tenait même pas à aller à Paris pour l'exposition. On raconte qu'il accepta finalement de s'y rendre et qu'il fit une brève visite à la galerie de Vollard la veille de l'ouverture, en compagnie de son fils. Et tout ce qu'il aurait dit à celui-ci en voyant ses peintures accrochées aux cimaises de la galerie se limiterait à : « Et dire qu'ils sont tous encadrés! »

Auguste Renoir et Edgar Degas voulaient acquérir l'aquarelle ci-dessus, *les Trois poires*, lorsqu'ils la virent à la première rétrospective Cézanne en 1895. Peinte en tons pâles de jaune et de gris avec des nuances violette, c'était l'une des quelques rares aquarelles de l'exposition. Pour se départager, Renoir et Degas tirèrent à la courte-paille. C'est Degas qui l'emporta.

Si Cézanne n'a guère livré ses sentiments sur l'exposition, le monde artistique, le public et la presse lui accordèrent beaucoup d'attention. Pissarro écrivit à son fils Georges, « Les collectionneurs sont stupéfaits; ils n'y comprennent rien, mais c'est pourtant un peintre de première classe, d'une étonnante subtilité, plein de vérité et de classicisme. » Et à son autre fils, Lucien : « Mon enthousiasme n'est rien comparé à celui de Renoir. Même Degas a succombé au charme de ce sauvage raffiné. Monet, nous tous... »

Renoir vint pour admirer « ces paysages composés avec l'équilibre d'un Poussin, ces peintures de baigneuses... en réalité, tout cet art extrêmement savant! » Degas et Monet achetèrent des tableaux ainsi que, parmi d'autres, Auguste Pellerin, le roi de la margarine, qui posa les fondations de ce qui est désormais connu sous le nom de collection Lecomte, la plus importante collection de Cézanne qui soit au monde.

Comme on pouvait s'y attendre, il y eut des protestations véhémentes. Des peintres comme Léon Gérôme et Puvis de Chavannes s'écriaient que l'exposition était une offense à la dignité de l'art. Le critique du *Journal des Artistes* grommelait à propos de ces « atrocités cauchemardesques à l'huile », et lançait cet avertissement : « On peut se payer la tête des gens, mais pas à ce point-là! »

Pareils articles, écho de ce que l'on avait dit lors de la première exposition impressionniste vingt ans plus tôt, étaient désormais rares. En 1895, leur résonance était anachronique. La plupart des critiques traitaient Cézanne sérieusement, et certains osaient être enthousiastes. Thadée Natanson écrivait dans *la Revue blanche* : « Il ose être rude, presque sauvage, et il conduit les choses jusqu'à leur conclusion, au mépris de tout le reste, avec l'unité de pensée de tous les initiateurs qui désirent créer quelque chose ayant une signification originale. » Dans *le Journal*, Gustave Geffroy exprimait à peu près la même chose en moins de mots. « C'est un grand diseur de vérité, écrivait-il. Passionné et candide, silencieux et subtil, il ira jusqu'au Louvre. »

Le fait est que vers 1895, une sorte de cristallisation du goût avait vu le jour. Le chemin avait été préparé par les Impressionnistes, dont on comprenait plus facilement les œuvres, lesquelles se trouvaient ainsi plus rapidement admises. L'un des articles consacrés à l'exposition de Vollard mentionne cette liaison entre Cézanne et d'autres peintres modernes reconnus. Écrivant dans le Figaro, Arsène Alexandre rappelait à ses lecteurs l'étrange personnage que Zola avait décrit dans l'Œuvre : « Aujourd'hui on vient soudain de découvrir que l'ami de Zola, le mystérieux homme de Provence, le peintre à la fois incomplet et inventif, fin et non civilisé, est un grand homme... Ce qu'il y a d'intéressant dans cette exposition est l'influence qu'il a exercé sur des artistes qui sont maintenant bien connus : Pissarro, Guillaumin et, plus tard, Gauguin, Van Gogh et d'autres. »

Le succès de l'exposition de 1895 fut tel que la réputation de Cézanne, bien que pas très étendue, ne cessa de croître à partir de ce moment-là ; le marché de ses toiles s'améliora aussi de façon substantielle. En 1897, Vollard rendit visite à l'atelier de Fontainebleau où travaillait le peintre et, avec son sens aigu de la prévision, lui acheta tous ses tableaux — amassant, plus tard, une fortune grâce à eux. Deux ans plus tard, lorsque l'on vendit la collection de Victor Chocquet (il était mort en 1890), les 32 Cézanne rapportèrent une moyenne de 1 700 francs chacun — soit plus du double de la valeur attribuée par le Louvre quatre ans avant.

En 1899, et à nouveau en 1901 et en 1902, Cézanne exposa ses œuvres au Salon des Indépendants, qui avait remplacé l'ancien Salon des Refusés comme forum principal des peintres anti-académiques. Il était devenu, soudain, une célébrité. Au Salon officiel en 1901, Maurice Denis présentait son grand *Hommage à Cézanne (page 176)*. Au cours des quelques années qui suivirent, on vit les œuvres de Cézanne à Bruxelles, à Vienne et à Berlin, où on lui consacra une exposition en 1904.

Plus important encore, le Salon d'Automne lui fit, en 1904, l'honneur de réserver une pièce à 42 de ses tableaux. Le Salon, fondé en 1903, comptait parmi ses constituants la plupart des jeunes peintres de talent qui avaient atteint leur maturité au cours des années 1890 — Denis, Vuillard, Sérusier, Vallotton, Odilon Redon, Georges Rouault, Albert Marquet. La position prééminente de Cézanne au Salon d'Automne de 1904 manifesta aimablement la reconnaissance de ces artistes au reclus d'Aix.

En 1904, l'importance de Cézanne était devenue si évidente que lorsque le *Mercure de France* entreprit une enquête sur « les tendances actuelles des arts plastiques », il lui consacra une question exclusive : « Que pensez-vous de Cézanne ? » Les réponses, on pouvait le prévoir, allèrent de la fraude au génie.

La croissance de sa renommée eut peu d'effet sur la manière de vivre de Cézanne, et vint apparemment trop tard pour lui apporter beaucoup de satisfaction. A partir de 1900, il résida à Aix, à l'exception de quelques semaines à Paris et à Fontainebleau lorsque le Salon d'Automne l'honora en 1904. Toujours obsédé par le passage du temps, il faisait souvent allusion aux nombreuses relations qu'il avait eues autrefois. « Hélas que de souvenirs qui sont allés s'engouffrer dans l'abîme des ans! » écrivit-il à son fils.

Il perdit l'un de ses meilleurs amis et de ses plus grands admirateurs lorsque Chocquet disparut. Du groupe des Batignolles, Berthe Morisot était morte en 1895, Sisley en 1899, Pissarro en 1903. Au début du siècle, Renoir avait commencé à souffrir des rhumatismes qui devaient le tourmenter pendant les vingt dernières années de son existence; Degas était menacé de cécité. Seul Monet demeurait solide et continuait à peindre, comme il le fit presque jusqu'à sa mort à l'âge de 86 ans, en 1926.

Quant à Zola, il est vraisemblable que Cézanne n'entendit plus parler de son vieil ami pendant les quelques années qui suivirent le dramatique engagement du romancier dans l'affaire Dreyfus. Les grands succès littéraires de celui-ci avaient vu leur fin avec l'achèvement de la série des Rougon-Macquart, en 1893; son exil en Angleterre le détacha virtuellement de tout souci à l'égard des affaires publiques. Cet exil avait duré dix-huit malheureux mois. Zola ne parlait pas anglais et détestait la nourriture du pays. Craignant d'être extradé en France, il dissimulait soigneusement son identité et vécut dans une succession de petits hôtels lugubres à Norwich, Weybridge et Sydenham.

Sa solitude ne fut rompue que par une visite de sa femme et deux de sa maîtresse, Jeanne Rozerot, qui avait été l'employée d'une blanchisseuse à Médan. Zola était tombé amoureux d'elle en 1888 et l'entretenait dans le village voisin de Verneuil-sur-Seine, où il se rendait à bicyclette. Madame Zola n'avait pas pu avoir d'enfant, mais Zola en eut deux de Jeanne — un fils et une fille (qui, en 1931, publia une biographie de son père).

Après son retour d'exil, Zola continua d'écrire et publia quatre nouveaux romans; mais tous avaient un même air de répétition et de lassitude. La vérité est que la littérature ne l'intéressait plus; il concentrait l'essentiel de son attention sur sa maîtresse et ses deux enfants.

Le 28 septembre 1902, Zola mourut soudainement et de façon étrange. Sa femme et lui avaient décidé que, à cause d'un offensive précoce du froid, ils quitteraient Médan pour rentrer à Paris. Du charbon brûlait dans le foyer de la chambre et Zola s'endormit, comme d'habitude, toutes fenêtres fermées. Apparemment la cheminée n'avait pas été convenablement ramonée à la fin de l'été; aussi de l'oxyde de carbone se répandit dans la chambre, tuant Zola et n'épargnant sa femme que de peu. Cézanne, qui avait appris la mort de Zola par son jardinier, en fut si bouleversé que, dit-on, il éclata en sanglots et s'enferma dans son atelier pour le reste de la journée.

En 1903, cinq mois après la mort de Zola, on vendit aux enchères sa collection d'objets d'art, qui comprenait dix tableaux de Cézanne. (Un onzième, passé inaperçu à l'époque, fut découvert dans le grenier de la maison de Médan en 1927). Tous les Cézanne que possédait Zola étaient des œuvres de jeunesse, et les acheteurs furent surpris de les voir atteindre des cours très supérieurs aux estimations officielles. Le Viol, l'une des fantaisies érotiques de Cézanne, atteignit le prix le plus élevé — 4 200 francs.

La vente provoqua une controverse dans la presse. Zola avait encore beaucoup d'ennemis politiques du fait de son rôle dans l'affaire Dreyfus; les antidreyfusards profitèrent de l'occasion pour renouveler leurs attaques contre lui et étendre celles-ci à Cézanne parce qu'il était son ami. Un article, en particulier, illustre comment l'art non académique était étroitement identifié au radicalisme politique. Il s'agit d'un texte de Henri Rochefort, adversaire politique de Zola, publié le 2 mars 1903, dans le journal parisien *l'Intransigeant*. Il était intitulé « L'Amour de la Laideur » et disait entre autres : « Si M. Cézanne était en nourrice quand il a vomi ces peinturlurages nous n'avons rien à dire... mais que penser du châtelain de Médan qui poussait à la propagation de telles insanités picturales ? Et dire qu'il écrivait des articles sur le Salon dans lesquels il prétendait régenter l'art français ! Nous avons soutenu qu'il y avait des dreyfusards bien avant l'affaire Dreyfus. Tous les esprits malades, les âmes sens dessus dessous, les jaloux et les incapables étaient mûrs pour la venue du Messie de la Trahison. Lorsque l'on voit la nature comme Zola et comment ses peintres vulgaires l'envisagent, le patriotisme et l'honneur prennent tout naturellement la forme d'un officier livrant à l'ennemi les plans de défense de son pays. L'amour de la laideur physique et morale est une passion comme une autre. »

Les bons citoyens paraissaient ravis de cette polémique, et Cézanne commença bientôt à recevoir menaces et lettres anonymes lui enjoignant de cesser d'offenser la ville par sa présence. De Paris, Paul écrivit à son père pour lui demander s'il désirait lire l'article de Rochefort. « Il est inutile de me l'envoyer », répondit Cézanne avec amertume. « Chaque jour j'en trouve sous ma porte, sans compter les numéros de *l'Intransigeant* que l'on m'adresse par la poste. »

Si la réaction des citoyens d'Aix paraît extrême, il faut se rappeler que la plupart de ceux qui connaissaient la présence de Cézanne le considéraient avec différents degrés de condescendance, de suspiscion et d'hostilité. Ils ne comprenaient pas ce qu'ils voyaient de son art et s'en méfiaient ; ils étaient confondus par la personnalité de ce fils de banquier qui courait la campagne avec son matériel de peinture sur le dos, vêtu comme un vagabond, le chapeau rabattu sur les yeux et la barbe mal soignée. Pour ces raisons, Cézanne avait du mal à louer des cabanons où déposer son matériel et peindre, autour d'Aix. Il était objet de dérision pour les petits garçons qui de temps en temps se moquaient de lui dans la rue, et une fois ou deux lui jetèrent des pierres.

Ce qui blessait le plus Cézanne était le fait que presque personne à Aix ne s'intéressait à sa peinture. Une demi-douzaine de nullités locales dont les œuvres étaient accrochées au musée Granet étaient beaucoup plus appréciées que lui. A la vérité, le directeur de ce musée, Auguste-Henri Pontier, avait juré que tant qu'il serait vivant aucun Cézanne ne pendrait à ses cimaises.

Mais la réputation de Cézanne s'accroissant lentement après la rétrospective de 1895, quelques habitants d'Aix commencèrent à se demander si l'on ne manquait pas de faire justice à l'un des citoyens les plus distingués de la ville. A la mort de Cézanne, le critique d'un journal local écrivit :

« Je voudrais que la ville d'Aix se souvienne de Cézanne, dont on trouve des toiles au Luxembourg à Paris, à Berlin et dans les principales collections d'Europe, bien que ni Aix ni Marseille ne possèdent même un seul dessin à lui. On doit rendre hommage, fût-ce avec retard, à la mémoire de ce peintre dont la renommée ne cesse de croître... Nous devrions pouvoir montrer à ceux qui viennent visiter nos musées que nous ne sommes ni ingrats, ni ignorants, ni étroits d'idées, ni

Cette femme nue aux membres longs et au port élégant est due au ciseau d'Aristide Maillol qui en fit un monument dédié à Cézanne. A l'origine, elle lui avait été demandée par des douzaines d'admirateurs de l'artiste, et parmi ceux-ci les peintres Monet, Renoir, Redon, Vuillard, Bonnard et Denis, des marchands de tableaux et des collectionneurs. La ville d'Aix la refusa et c'est finalement la ville de Paris qui l'acquit, en 1929, quelque vingt ans après la conception du projet. Elle est exposée dans les Jardins des Tuileries.

en retard sur notre temps, et que, lorsque l'un de nos concitoyens honore notre ville, celle-ci tient à célébrer son souvenir. »

Et la ville commença à le faire en donnant au chemin des Lauves le nom d'avenue Paul Cézanne et en apposant un médaillon représentant le buste de Cézanne sur une fontaine publique. Mais ce n'est qu'après la mort de Pontier, en 1926, que le musée Granet finit par accepter une œuvre de Cézanne.

Le diabète dont l'artiste était atteint empira après 1902, et ce fut la raison du changement de ses habitudes. Il ne peignait pratiquement plus que dans son nouvel atelier du chemin des Lauves et sur des sites proches. Au cours de ses dernières années, s'il s'aventurait plus loin, il empruntait une voiture de louage.

Sa maladie le rendit particulièrement sensible à la chaleur des étés provençaux, et au cours du dernier qu'il vécut il eut coutume de se lever à cinq heures du matin pour travailler jusqu'à huit, moment où la température devenait si « stupéfiante », qu'il ne pouvait plus continuer. « Cette température », écrivait-il à son fils, « ne doit être favorable qu'à la dilatation des métaux, favoriser les débits de boisson, et remplir de joie les marchands de bière... et les prétentions des intellectuels de mon pays, tas d'ignares, de crétins et de drôles. » L''après-midi, à quatre heures, lorsque la chaleur baissait un peu, la voiture venait le chercher, et il trouvait quelque soulagement à travailler à ses aquarelles sur les rives de l'Arc où, comme il l'écrivait à Paul, « de grands arbres forment une voûte au-dessus de l'eau. »

Paul, qui avait maintenant 35 ans, vivait toujours avec sa mère à Paris. Il ne travaillait pas, mais servait en quelque sorte d'agent officieux à son père, le représentant dans les affaires traitées avec Vollard et parfois auprès de collectionneurs privés qui, en nombre toujours plus important, recherchaient les œuvres de Cézanne. Mais son rôle essentiel consistait à apporter à son père les avis et les conseils pratiques que Zola et Marie Cézanne lui donnaient autrefois. Vers la fin de sa vie, Cézanne en vint à se reposer de plus en plus sur lui.

Il connut de mauvais moments et eut beaucoup besoin d'aide; ses lettres à Paul en témoignent. Certaines reflètent son épuisement physique ainsi que l'amertume et la tristesse de son esprit : « ...et je finis par croire, » écrivait-il le 2 septembre 1906, « qu'on ne sert en rien aux autres. » Parfois le monde lui répugnait, et il n'avait que peu confiance dans les consolations de l'Église. « Je crois que pour être catholique, » remarqua-t-il sèchement, « il faut être privé de tout sentiment de justesse, mais avoir l'œil sur ses intérêts. »

Malgré sa maladie et ses crises de dépression, Cézanne se rendit à son atelier tous les matins presque jusqu'au jour de sa mort. « Je me suis juré de mourir en peignant, » écrivit-il à Émile Bernard le 21 septembre 1906, « plutôt que de sombrer dans le gâtisme avilissant qui menace les vieillards. » Et à Louis Aurenche : « J'ai des tas de choses à faire; c'est ce qui arrive à tous ceux qui sont quelqu'un. »

Au cours de l'automne 1906, il renvoya la voiture de louage parce que le conducteur lui avait demandé une augmentation minime; après quoi, il prit l'habitude de s'en aller à pied, avec sa boîte d'aquarelles, jusqu'aux limites de la ville ou de grimper la côte derrière son atelier pour atteindre la crête des Lauves.

C'est là qu'il s'en fut l'après-midi du 15 octobre 1906. Le matin il avait écrit une lettre à son fils, abordant un thème familier :« Je continue à travailler avec difficulté mais, enfin, il y a quelque chose. C'est l'important, je crois. » Et il ajoutait de façon caractéristique : « Tous mes compatriotes sont des culs à côté de moi. »

Une averse brutale le surprit sur le chemin du retour, tard dans l'après-midi; grelottant et fatigué, il s'évanouit sur la route. Le conducteur de la carriole d'une blanchisserie le ramena, inconscient, à son appartement, rue Boulegon. Sa gouvernante, Mme Brémond, fit venir le médecin qui ordonna à Cézanne de rester au lit. Le lendemain pourtant, il retourna à l'atelier travailler au portrait du jardinier Vallier *(page 140)* puis, trop fatigué, rentra chez lui. Mais il pensait reprendre son ouvrage, et il adressa un mot furieux à son marchand de couleurs à Paris : « Voici huit jours passés que je vous ai demandé de m'envoyer dix laques brûlées n° 7, et je n'ai pas de réponse. Que se passe-t-il donc? Une réponse, et vivement je vous prie. »

Cette note, datée du 17 octobre, fut la dernière qu'écrivit Cézanne. Il s'affaiblit rapidement et Marie Cézanne demanda à Hortense et à Paul de venir de Paris. Pendant des accès de délire, il criait : « Pontier! Pontier! » — s'adressant au directeur du musée dont le refus d'accepter ses toiles l'avait tant blessé. Marie Cézanne envoya alors un télégramme urgent à son neveu, mais sa mère et lui arrivèrent à Aix trop tard. Le 22 octobre, Cézanne, affaibli par son diabète, mourut d'une pneumonie, à l'âge de 67 ans.

Ce qui étonne le plus dans la réputation de Cézanne, c'est la vitesse à laquelle elle s'est développée après sa mort. Un an plus tard, on lui faisait l'honneur d'une exposition de 79 aquarelles à la galerie Bernheim-Jeune. Bientôt, le Salon d'Automne rendait hommage à sa mémoire en présentant 56 de ses toiles. On écrivait déjà des études sur son œuvre et, pendant l'automne 1907, le *Mercure de France* publia sa correspondance avec Émile Bernard. En 1910 et à nouveau en 1912, Roger Fry organisait des expositions post-impressionnistes aux Grafton Galleries à Londres, y réservant une large place aux huiles et aux aquarelles de Cézanne.

C'est en 1914 que l'œuvre de Cézanne fit pour la première fois son apparition au Louvre. Les tableaux exposés comprenaient *la Maison du pendu (page 66)*, l'un des tableaux de la série *les Joueurs de cartes, le Vase bleu (page 135)* et diverses natures mortes et aquarelles, le tout provenant du legs du banquier collectionneur Isaac de Camondo. En 1920, le Louvre achetait son premier Cézanne, *les Peupliers*, et, en 1928, les Cézanne exposés au Luxembourg à la suite du legs Caillebotte étaient, avec le reste de la collection, transférés au Louvre qui leur consacra une salle.

Cézanne le révolutionnaire s'effaçant dans l'ombre pour devenir Cézanne le vieux maître, les prix de ses toiles grimpèrent : le *Garçon au gilet rouge* se vendit 56 000 francs en 1913; en 1958, son prix atteignait trois millions et demi. L'acheteur était le collectionneur américain Paul Mellon qui, une dizaine d'années plus tard, se surpassa, jusqu'à payer — à ce qu'on prétend — 8 millions de francs le *Portrait de Louis-Auguste Cézanne lisant l'Événement (page 21)* qu'il offrit ensuite à la National Gallery of Art de Washington.

« Ils ont coupé la pomme de Cézanne en quatre morceaux pour la manger mieux. » Cette remarque du peintre André Masson résume l'influence multiple de Cézanne sur les peintres du XXe siècle. Dans l'histoire de l'art, peu d'hommes ont été réclamés par autant de mouvements, pris comme source d'inspiration par autant d'artistes, autopsiés et encensés par autant de critiques. Et, en cours de route, on a pas mal déformé les intentions de Cézanne. Le commentaire qu'il fit un jour à Émile Bernard : « Je suis le primitif de la voie que j'ai découverte » a encouragé toutes sortes de mouvements à croire que c'était à eux qu'il se référait, et à voir dans sa façon de peindre les premières lueurs de leurs propres innovations.

Chaque mouvement trouvait sa correspondance particulière dans un aspect différent de la peinture de Cézanne, mais les éléments de son art qui ont eu l'effet le plus direct sur les artistes venus après lui sont la couleur, la composition et, plus récemment, le caractère abstrait de ses dernières œuvres.

Sa façon d'utiliser la couleur fut ce qui attira d'abord l'attention de ses disciples. Les « Nabis » (le nom vient du mot hébreu qui veut dire « l'homme qui voit ») en parlaient déjà à la fin des années 1880. Ce groupe était composé presque exclusivement de jeunes peintres qui s'étaient familiarisés avec l'œuvre de Cézanne chez Tanguy — Bernard, Bonnard, Denis, Sérusier, Vuillard. La couleur, soutenaient les Nabis, doit retrouver sa suprématie dans la peinture ; c'est pourquoi la façon dont Cézanne la modulait les fascinait. En pratique, cependant, il existe bien des différences entre leur style et celui de Cézanne, la plus évidente étant que celui-ci utilisait la couleur avec un objectif structurel tandis qu'eux-mêmes la recherchaient pour son effet décoratif.

Les Fauves, qui apparurent au Salon d'Automne de 1905, voulurent utiliser la couleur avec encore plus de liberté et d'intensité. De nombreuses compositions d'hommes comme Henri Matisse, André Derain, Othon Friesz et Maurice de Vlaminck, avec leurs lourdes lignes de démarcation. Leurs déformations dans les contours et leur juxtaposition de couleurs explosives, sont bien des échos de la façon originale, solide, fraîche et harmonieuse en couleurs dont Cézanne peignait ses sujets. Les Fauves reconnaissaient aussi leur dette à l'égard des dernières aquarelles de Cézanne du fait des couleurs plus intenses et de la force que l'on y sent.

Mais quelle qu'ait été leur connaissance de l'œuvre de Cézanne, les Fauves et les Nabis ne sont venus à celui-ci que par la médiation de Gauguin. Et ce fut en partie parce que Cézanne avait toujours été, selon les termes de Denis, « un artiste difficile, en particulier pour ceux qui l'aimaient le plus. » Gauguin avait soigneusement étudié la méthode utilisée par Cézanne dans la construction des plans de couleurs et en avait, en quelque sorte, été le traducteur pour les jeunes artistes. En réalité, il fut le seul vrai grand peintre qui, pendant la vie même de Cézanne, fut constamment influencé par celui-ci. Gauguin suivit ensuite son propre chemin vers un style décoratif plat, mais il conserva toute sa vie un coup de brosse pareil à celui de Cézanne et du respect pour sa façon d'arranger les plans.

Henri Matisse, véritable force motrice du Fauvisme, avait lui aussi de l'avance sur le reste de ses contemporains dans son appréciation et sa compréhension de Cézanne. Dès 1897, ses natures mortes laissaient apparaître l'influence de la profondeur faible des Cézanne ; au début du XXe siècle, il s'essayait à leurs contours irréguliers et à leurs formes angulaires actives. Il est remarquable que Matisse ait assimilé avec succès tant des techniques de Cézanne, pour aboutir

Beaucoup de peintres modernes ont rendu hommage à Cézanne, mais Francis Picabia, l'un des fondateurs du mouvement dada, cloua un singe empaillé sur une planche et intitula l'œuvre *Nature Morte, Portrait de Cézanne, Portrait de Renoir, Portrait de Rembrandt.* Avant de s'être livré à cette provocation visant à dégonfler la réputation des maîtres, Picabia avait écrit : « J'ai horreur de la peinture de Cézanne ; elle m'ennuie à mourir. »

à un style qui, à l'opposé de celui de Cézanne, était essentiellement ornemental.

En 1907, l'attention commença à se détourner de la couleur de Cézanne pour se porter sur sa composition. Les expositions en son honneur au Salon d'Automne et à la Galerie Bernheim-Jeune affectèrent profondément de nombreux peintres qui parvenaient alors à maturité et, parmi eux, Pablo Picasso et Georges Braque.

L'influence de Cézanne sur Picasso devint évidente dans *les Demoiselles d'Avignon*, peintes par ce dernier en 1907. Dans cette œuvre très connue, Picasso a employé à la fois la structure austère et l'espace pictorial peu profond que Cézanne avait si efficacement combinés dans ses dernières *Baigneuses*. Après *les Demoiselles d'Avignon*, Picasso produisit un certain nombre de natures mortes dans lesquelles il poursuivit l'analyse des techniques de composition de Cézanne. Dans toutes ces œuvres, l'espace est toujours étroitement confiné et les objets apparaissent comme si on les voyait simultanément de différents points.

Braque, ancien adepte du Fauvisme, fit, en 1907-1908, la même expérience de l'espace plat et des formes austères à la Cézanne. De ses préoccupations sortirent des études géométriques de l'Estaque peintes au cours de l'été 1908 et un monumental *Nu debout*. Ses expériences étaient si proches de celles de Picasso que les deux peintres commencèrent à travailler en collaboration étroite. Bien que chacun eût conservé son identité — Picasso avec un style plus dramatique, Braque restant plus simple et plus lyrique — leur effort commun donna bientôt naissance à la méthode connue sous le nom de Cubisme analytique.

Et, pourtant, Cubisme et Fauvisme ne constituent qu'une part de la pomme laissée par Cézanne. Il est aussi peu satisfaisant de tenter d'expliquer totalement Cézanne en termes de Cubisme que Picasso et Braque eux-mêmes en les disant cubiste. En outre, avec l'évolution de celui-ci vers une phase plus abstraite, celle que l'on nomme parfois le Cubisme synthétique s'introduit une différence majeure entre Cézanne et les peintres qui vinrent après lui. Là où Cézanne affirmait que « la peinture est une théorie mise au point et appliquée en contact avec la nature », les peintres du xxe siècle se sont détournés de celle-ci — c'est-à-dire du modèle — et ont peint d'après leur imagination, sans se reposer sur des métaphores du monde extérieur. Cette tendance a conduit au développement d'un art abstrait. Néanmoins, même s'ils se sont séparés deux fois de lui, beaucoup d'abstraits ont continué à reconnaître l'influence constructive de Cézanne.

A peu près au moment où le Cubisme entrait dans sa phase synthétique, on vit éclore un mouvement connu sous le nom d'Orphisme. C'était une réaction contre le quasi-monochromatisme du Cubisme analytique; les principaux Orphistes, Jacques Villon et Robert Delaunay, en se détachant du Cubisme, essayèrent de combiner la couleur des Fauves avec la forme cubiste, persuadés que la couleur pouvait et devait servir à créer le mouvement. Ils allèrent chercher leur inspiration dans les derniers tableaux de Cézanne, soutenant que le dernier Cézanne était le vrai.

De nombreux critiques avaient eu l'impression que ces derniers tableaux, avec leurs contours ébauchés et leur usage apparemment incontrôlé de la couleur, était l'œuvre d'un maître sur son déclin.

Les Orphistes, au contraire, voyaient dans les huiles et les aquarelles des années proches de la fin de Cézanne un point de départ, une expression aussi valable que celles qui l'avaient précédée.

Peu à peu, le temps passant, c'est l'opinion qui prévalut. Dans les années 1920, les Expressionnistes allemands tirèrent leur inspiration de l'abstraction des dernières œuvres de Cézanne; dans les années 1930, les Surréalistes virent en elles une iridescence magique de la couleur et du sujet, et firent de Cézanne un des leurs. Après la Seconde Guerre mondiale, les dernières œuvres de Cézanne marquèrent des hommes comme Alfred Manessier et Jean Bazaine *(page 183)*. En réalité, c'est au cours des vingt années qui viennent de s'écouler que l'on a compris toute l'importance des dernières huiles et des dernières aquarelles de Cézanne.

L'influence de Cézanne est si présente partout qu'il est difficile de citer un artiste important, ou un mouvement, qui n'ait pas été touché par elle. « Nous descendons tous de Cézanne », affirmèrent Braque, Fernand Léger et Jacques Villon dans une déclaration publique, en 1953. L'extraordinaire étendue de son influence n'est pas due simplement à ses innovations techniques, si importantes et pleines de conséquences lointaines qu'elles aient été. Cézanne n'est pas seulement à cheval sur deux siècles mais aussi sur deux époques de la pensée et du sentiment. Dans le courant de son existence, il a vu se produire un changement radical de l'ensemble du système de références de l'homme par rapport au monde et à la réalité. Au milieu du XIXᵉ siècle, les principes immuables, les certitudes mathématiques, les vérités éternelles ont paru moins immuables, moins certaines et moins éternelles. A la fin du siècle, il était devenu de plus en plus difficile de définir le réel par le seul monde extérieur visible comme on le faisait depuis la Renaissance.

Ces modifications firent sentir leurs effets dans toutes les sphères de la vie intellectuelle, et conduisirent la peinture à se tourner vers l'intérieur. Ce que l'on voyait n'était plus aussi important que la façon dont l'artiste voyait et peignait. « Un Cézanne est un moment de l'artiste », remarquait Matisse. « Un Sisley est un moment de la nature. » C'est pourquoi des mouvements aussi divers se sont attachés à Cézanne et pourquoi celui-ci nous semble si intensément contemporain. Ses propres affirmations, souvent répétées, selon lesquelles « il travaillait en dehors de la tendance générale » et « il venait trop tôt » laissent penser qu'il avait compris que l'avenir appartenait à l'artiste subjectif. Partant de Cézanne, on n'a pas grand chemin à faire pour aboutir au point où le sujet premier est l'acte de création lui-même.

Cézanne a laissé plus d'un millier de peintures, d'aquarelles et de dessins. En fin de compte, il est difficile de dire ce qui fait leur distinction et leur force, mais celui qui les regarde ressent bien ce que Georges Rivière exprimait dans une critique de 1877 : « L'artiste émeut parce que lui-même ressent dans la nature une émotion violente que la science transmet à la toile. » L'origine de cette émotion dans l'artiste nous ne la connaissons pas, mais nous pouvons la deviner. « Il y a une minute du monde qui passe! », dit un jour Cézanne. « La peindre dans sa réalité! et tout oublier pour cela. » L'une des nombreuses merveilles de cet homme solitaire, terrifié, courageux, réside dans l'effort incessant qu'il a déployé pour retenir et préserver le monde qui passait, pour tirer du changement même ce qui demeure permanent.

Cette photographie qui date de 1930 montre trois générations de Cézanne : le peintre regarde la scène du haut de son autoportrait; son fils Paul se tient debout à droite; son petit-fils Jean-Pierre, né douze ans après la mort du grand-père, est assis sur la chaise. Paul qui, enfant, s'amusait à percer des trous dans les fenêtres des maisons peintes sur les toiles que son père rejetait, n'embrassa aucune profession. Jusqu'à sa mort, en 1947, il vécut confortablement de son héritage composé, pour l'essentiel, de peintures de Cézanne. Jean-Pierre suivit les traces de son grand-père en se mettant à peindre mais, bien qu'ayant pu exposer à Paris, il n'eut jamais besoin de faire de son art une source de revenus. Il a dirigé une librairie spécialisée dans les livres rares et les manuscrits.

« Notre père à tous »

Lorsque la renommée vint à Cézanne, au cours des dix dernières années de son existence, à peine parut-il en prendre conscience. Vivant tranquille à Aix, il continua de concentrer son énergie sur la peinture. « J'entrevois la terre promise », écrivait-il à son marchand en 1903. « Serai-je comme le grand chef des Hébreux ou bien pourrai-je y pénétrer? »

Parmi les générations qui suivirent, il ne fait aucun doute que Cézanne, comme un Moïse du dernier jour, a montré le chemin d'un nouveau monde artistique. École après école, des peintres modernes — des Fauves attentifs à la couleur aux Expressionnistes abstraits — ont cherché leur inspiration dans les couleurs vibrantes, les compositions géométriques et les surfaces tissées de l'œuvre de Cézanne. Mais, plus encore que son style, des jeunes artistes ont admiré l'exemple de sa vie — sa dévotion exclusive à son idéal artistique. « Tout chez lui m'était sympathique », a écrit le Cubiste George Braque, « l'homme, son caractère, tout. »

Beaucoup d'admirateurs de Cézanne sont allés à Aix pour lui demander conseil. Il répondait en pressant les peintres de faire eux-mêmes leurs propres découvertes plutôt que d'emprunter les siennes. « S'ils essaient en mon nom de créer une école, » écrivait-il à Rouault, « dis-leur qu'ils n'ont jamais compris, jamais aimé ce que j'ai fait. » Mais Henri Matisse, le chef des Fauves, s'est exprimé au nom de la plupart des peintres modernes lorsqu'il a appelé Cézanne « notre père à tous ».

Sur la photo ci-contro, due au jeune artiste Émile Bernard, le patriarche de la peinture moderne, Paul Cézanne, apparaît assis devant ses monumentales *Baigneuses*. Le tableau, si grand qu'il fallut percer une fente spéciale dans le mur de l'atelier de Cézanne pour l'en sortir, est l'un de ceux qui ont exercé une forte influence sur *les Demoiselles d'Avignon* de Picasso, le grand héraut du Cubisme.

La galerie Vollard avec, de gauche à droite, Pissarro, Renoir, Vollard, un client, Bonnard et Degas.

La couverture du catalogue de l'exposition Cézanne de 1898 reproduit un dessin de l'artiste où figurent quatre baigneuses.

Marchand de tableaux, Ambroise Vollard *(à droite)* attira le premier l'attention du public sur Cézanne avec une exposition des œuvres de celui-ci en 1895; il fit fortune en aidant des peintres d'avant-garde à faire carrière. Son bon goût naturel, allié à un sens aigu des affaires, le conduisit à se constituer une collection valant plus de quarante millions de francs à l'époque de sa mort, en 1939. Outre des toiles de Cézanne, Vollard possédait des œuvres de Picasso, de Gauguin et de Bonnard, qui caricatura le marchand dans sa galerie encombrée *(en haut)*. L'appui permanent de Vollard parvint à imposer Cézanne au public. Il organisa une seconde exposition en 1898 et, en 1915, il écrivit et publia la première biographie de Cézanne.

Vollard dans son bureau parisien à la fin des années 1930.

Maurice Denis : *Hommage à Cézanne*, 1900

L'hommage des artistes

La renommée croissante de Cézanne au début du vingtième siècle ralluma la controverse qui avait empoisonné les années de ses débuts. Même lorsqu'il eut des tableaux dans des musées à Paris et à Berlin, un critique conservateur qualifia ceux-ci de « la plus grande plaisanterie de l'histoire artistique des quinze dernières années », et un autre prétendit que « si nous sommes d'accord avec M. Cézanne nous pouvons aussi bien mettre le feu au Louvre. »

Mais, parmi les autres artistes, Cézanne déchaînait l'enthousiasme. Maurice Denis peignit même un *Hommage à Cézanne (ci-dessus)* qui put, non sans ironie, être exposé au Salon, l'institution qui au cours des années n'avait accroché à ses cimaises qu'un seul Cézanne. L'œuvre de Denis montre un groupe de peintres en train d'admirer, chez Vollard, *la Nature morte au compotier* de Cézanne.

La même nature morte forme le fond du portrait de *Marie Derrien (à droite)* par Gauguin. Celui-ci admirait tant Cézanne qu'il possédait douze de ses tableaux, y compris le *Compotier*, qu'il refusa de vendre « même dans un cas d'urgente nécessité. » Dans son œuvre, Gauguin a souvent employé les petits coups de brosse étroitement tissés de Cézanne et le dispositif des zones de couleurs de celui-ci. Malgré l'hommage qui lui était ainsi rendu, Cézanne n'aimait pas Gauguin et accusait le jeune peintre de plagier sa technique et de « traîner la pauvre chose dans des bateaux... des champs de canne à sucre et de fruits... vers la terre des nègres et des je ne sais pas quoi d'autres ».

Paul Gauguin : *Marie Derrien*, 1890

Henri Matisse : *Baigneuse*, été 1909

Comme des joailliers taillant un diamant, différentes écoles de peinture moderne se sont inspirées chacune d'une facette particulière de l'art de Cézanne dans leur œuvre propre. L'utilisation vivante de la couleur par Cézanne pour équilibrer une composition, par exemple, a été adoptée par un groupe de peintres que les critiques surnommèrent les Fauves, par dérision.

Le Fauvisme fit ses débuts publics au Salon d'Automne de 1905 (qui exposait aussi dix Cézanne)

Trois Baigneuses, 1879-1882

August Macke : *Personnages devant le lac Bleu*, 1913

et dut son nom à la façon exagérée dont il maniait les techniques de la couleur inaugurées par Cézanne, Gauguin et Van Gogh. Ce mouvement usait d'une palette intense et violente et choisissait les couleurs arbitrairement. Dans le tableau ci-dessus d'August Macke, un artiste allemand, le ciel est assombri jusqu'au bleu outremer, le tronc des arbres est passé du brun au rouge tandis que l'herbe et le feuillage brillent des teintes jaunes et orange du néon.

Henri Matisse, le chef officieux des Fauves,

affirmait que Cézanne lui avait fait comprendre « que les tons sont la force d'une peinture. » Jeune peintre, Matisse était si épris d'une version des *Baigneuses* de Cézanne *(ci-contre)* qu'il contracta des dettes pour l'acquérir. Dix ans plus tard, après qu'il eut abandonné le Fauvisme pur, il prit l'une des silhouettes comme modèle pour sa propre *Baigneuse*, transformant les verts et les jaunes frais de Cézanne en plans minces comme des crêpes mais de pigment pur et vivace.

179

Georges Braque : *La Roche-Guyon, le château*, 1909

Pablo Picasso : *Pain et compotier avec fruits sur une table*, 1908

Fernand Léger : *Femme cousant*, 1909-1910

Le Cubisme, mouvement qui devait bientôt éclipser le
Fauvisme, fut lui aussi fortement inspiré par Cézanne. Les
co-fondateurs du style cubiste, Georges Braque et Pablo Picasso,
se rencontrèrent à Paris en 1907, année de l'hommage du
Salon d'Automne à Cézanne. Braque, transfuge du Fauvisme,
se mit à peindre des toiles presque mono-chromatiques qui
mettaient plus l'accent sur la géométrie que sur la couleur.
Comme Cézanne, il réaménageait la nature et introduisait
des distorsions dans la perspective pour faire ressortir les qualités
géométriques des arbres et des bâtiments dans les paysages
(ci-contre). Picasso utilisait des techniques similaires
pour créer des natures mortes structurées *(ci-dessus à gauche)*,
et Fernand Léger, qui se joignit au Cubisme en 1910, simplifiait
les formes de ses sujets jusqu'à les réduire à des tracés
d'apparence si mécanique que sa lingère *(ci-dessus à droite)* fut
surnommée, plus tard, « la Machine à coudre » par un critique.

Robert Delaunay : *Les Tours de Laon*, 1911

« Vous savez pourtant bien qu'il n'y a qu'un peintre au monde et c'est moi... », déclara un jour Cézanne à Vollard. Cet extrême individualisme reste la grande leçon que Cézanne a donnée à ceux qui le suivaient. C'est une leçon qu'il convenait de prendre à cœur. Robert Delaunay, au début de sa carrière, a peint dans un style cubiste la scène ci-dessus qui ressemble au tableau de Cézanne dont on trouve la reproduction en page 149; plus tard, il se tourna vers des arrangements de couleurs purement abstraits. Un peintre contemporain français, l'abstrait Jean Bazaine, a produit des toiles, comme celle que l'on peut voir à droite, qui n'ont que peu de ressemblance avec celles de Cézanne. Mais Bazaine se prétend lui aussi disciple de Cézanne, inspiré par l'intention du maître qui permettait à son instinct de le pousser dans de nouvelles voies. « La sincérité d'un artiste », a écrit Bazaine, « est sans aucun doute de se laisser conduire sans savoir où. Mais c'est aussi d'une façon apparemment contradictoire de chercher ses limites, c'est-à-dire celles de son époque... Cézanne est le plus grand, celui qui s'est heurté sans cesse, malheureusement, avec ce qu'il croyait être ses limites ».

Jean Bazaine : *Roche-Taillé*, 1955

Garçon au gilet rouge, 1890-1895

Maison à l'Estaque, 1883-1885

Un triomphe sur le marché

La nuit du 15 octobre 1958, chez Sotheby, à Londres, dans la grande salle tendue de tapisseries où s'effectuent les enchères *(ci-contre),* le monde moderne a rendu un hommage particulier au génie de Cézanne. Tandis que les caméras des services d'actualités ronronnaient et qu'une foule élégante de 1400 amateurs d'art éclataient en applaudissements, le *Garçon au gilet rouge (en haut à gauche)* de Cézanne se voyait adjugé au représentant du financier collectionneur américain Paul Mellon pour la somme astronomique de trois millions et demi de francs. Ce prix auquel on n'était jamais parvenu constituait un record dans la peinture moderne, dépassait tout ce qui avait été payé jusqu'ici pour une œuvre d'art vendue aux enchères et représentait plus du double de ceux atteints par les tableaux des peintres contemporains de Cézanne.

Pendant sa vie, Cézanne serait mort de faim s'il avait dû compter sur son œuvre pour se nourrir. On estime que le *Garçon au gilet rouge* n'a sans doute pas été payé, au début du siècle, beaucoup plus de 110 francs. D'autres Cézanne s'étaient vendus encore moins cher, aux environs de 50 francs.

Aujourd'hui, il en coûte de plus en plus cher de posséder un Cézanne. Paul Mellon a battu son propre record en 1965 en allant jusqu'à plus de quatre millions pour le paysage ci-contre. Mais quelle que soit la valeur qu'atteignent les œuvres de Cézanne sur le marché, aucune somme d'argent ne pourra jamais mesurer la contribution que celui-ci a apportée à l'art et au monde.

Les artistes de l'époque de Cézanne

	1800	1855	1910	1965

FRANCE
DOMINIQUE INGRES 1780-1867
EUGÈNE DELACROIX 1789-1863
HONORÉ DAUMIER 1808-1879
FRANÇOIS MILLET 1814-1875
GUSTAVE COURBET 1819-1877
CAMILLE PISSARRO 1830-1903
ÉDOUARD MANET 1832-1883
EDGAR DEGAS 1834-1917
PAUL CÉZANNE 1839-1906
ODILON REDON 1840-1916
AUGUSTE RODIN 1840-1917
CLAUDE MONET 1840-1926
AUGUSTE RENOIR 1841-1919
HENRI ROUSSEAU 1844-1910
PAUL GAUGUIN 1848-1903
GEORGES SEURAT 1859-1891
ARISTIDE MAILLOL 1861-1944
LUCIEN PISSARRO 1863-1944
HENRI DE TOULOUSE-LAUTREC 1864-1901
PIERRE BONNARD 1867-1947
ÉDOUARD VUILLARD 1868-1940
HENRI MATISSE 1869-1954
GEORGES ROUAULT 1871-1958
JACQUES VILLON 1875-1963
RAYMOND DUCHAMP-VILLON 1876-1918
MAURICE DE VLAMINCK 1876-1958
RAOUL DUFY 1877-1953
FRANCIS PICABIA 1879-1953
ANDRÉ DERAIN 1880-1954
FERNAND LÉGER 1881-1955
GEORGES BRAQUE 1882-1963
MAURICE UTRILLO 1883-1955
ROBERT DELAUNAY 1885-1941
JEAN ARP 1887-1966
MARCEL DUCHAMP 1887-1968

ITALIE
GIOVANNI BOLDINI 1842-1931
CARLO CARRA 1881-1966
UMBERTO BOCCIONI 1882-1916
GINO SEVERINI 1883-1966
AMEDEO MODIGLIANI 1884-1920
GIORGIO DE CHIRICO 1888-1978
GIORGIO MORANDI 1890-1964

AUTRICHE
HANS MAKART 1840-1884
GUSTAV KLIMT 1862-1918
OSKAR KOKOSCHKA 1886-
EGON SCHIELE 1890-1918

ÉTATS-UNIS
JAMES McNEILL WHISTLER 1834-1905
WINSLOW HOMER 1836-1910
JOHN SINGER SARGENT 1856-1925
LYONEL FEININGER 1871-1956
HANS HOFMANN 1880-1966
MARK TOBEY 1890-1976

ALLEMAGNE
HANS THOMA 1839-1924
WILHELM LEIBL 1844-1900
MAX LIEBERMANN 1847-1935
FRITZ VON UHDE 1848-1911
CHRISTIAN ROHLFS 1849-1938
LOVIS CORINTH 1858-1925
EMIL NOLDE 1867-1956
MAX SLEVOGT 1868-1932
PAULA BECKER-MODERSOHN 1876-1907
FRANZ MARC 1880-1916
ERNST LUDWIG KIRCHNER 1880-1938
MAX PECHSTEIN 1881-1955
MAX BECKMANN 1884-1950
KARL SCHMIDT-ROTTLUFF 1884-
AUGUST MACKE 1887-1914
KURT SCHWITTERS 1887-1948

SUISSE
FERDINAND HODLER 1853-1918
THÉOPHILE STEINLEN 1859-1923
PAUL KLEE 1879-1940

PAYS-BAS
VINCENT VAN GOGH 1853-1890
PIET MONDRIAN 1872-1944
KEES VAN DONGEN 1877-1968
THEO VAN DOESBURG 1883-1931

BELGIQUE
JAMES ENSOR 1860-1949
PAUL DELVAUX 1897-

ANGLETERRE
J.M.W. TURNER 1775-1851
JOHN CONSTABLE 1776-1837
WILLIAM HOLMAN HUNT 1827-1910
DANTE GABRIEL ROSSETTI 1828-1882
EDWARD BURNE-JONES 1833-1898
WALTER SICKERT 1860-1942

SCANDINAVIE
EDVARD MUNCH (Norvège) 1863-1944

ESPAGNE
PABLO PICASSO 1881-1973
JUAN GRIS 1887-1927
JOAN MIRO 1893-
SALVADOR DALI 1904-

EUROPE ORIENTALE ET RUSSIE
WASSILY KANDINSKY 1866-1944
FRANK KUPKA 1871-1957
CASIMIR MALEVICH 1878-1935
MARC CHAGALL 1887-
CHAÏM SOUTINE 1894-1943

MEXIQUE
JOSÉ CLEMENTE OROZCO 1883-1949
DIEGO RIVERA 1886-1957
DAVID SIQUEIROS 1898-1974
RUFINO TAMAYO 1899-

	1800	1855	1910	1965

Les prédécesseurs, contemporains et successeurs de Cézanne sont groupés ici par ordre chronologique et par pays d'origine.

Bibliographie

CÉZANNE - SA VIE ET SON ŒUVRE

Bernard, Émile. *Lettres inédites du Peintre Emile Bernard à sa femme, à propos de la mort de son ami, Paul Cézanne*. Collection Wildenstein, New York, 1953.

Beucken, Jean de, *Un Portrait de Cézanne*. Gallimard, Paris, 1955.

Cassou, Jean, *Cézanne — les Baigneuses*. Éd. des Quatre-Chemins, Paris, 1947. *Cézanne*. Le Grand Art en Livre de Poche. Flammarion.

Chappuis, Adrien, *les Dessins de Paul Cézanne au Cabinet des Estampes du Musée des Beaux-Arts de Bâle*, 2 vol. Éditions Urs Graf, Olten et Lausanne, 1962.

Dorival, Bernard, *Cézanne*. Hazan, Paris, 1952.

Gasquet, Joachim, *Cézanne*. Bernheim-Jeune, Paris, 1921.

Huyghe, René, *Cézanne*. Éd. d'Histoire et d'Art, Paris, 1936.

Jourdain, Francis, *Cézanne*. Braun et Cie, Paris, 1950.

Juin, Hubert, *Sur les pas de Paul Cézanne*. Librairie de l'Université, Aix-en-Provence, 1953.

Larguier, Léo, *Cézanne ou le drame de la peinture*. Denoël et Steele, Paris, 1936.

Larguier, Léo, *Cézanne ou la lutte avec l'ange de la peinture*. Julliard, Paris, 1947.

Novotny, Fritz, *Cézanne*. Éd. Phaidon, Paris, 1937.

Perruchot, Henri, *la Vie de Cézanne*. Paris, Hachette, 1958.

Raynal, Maurice, *Cézanne*. Skira, Genève, 1954.

Rewald, John, *Paul Cézanne. Correspondances*. Grasset, Paris, 1937.

Schmidt, Georg, *Aquarelles de Paul Cézanne*. Éd. Holbein, Bâle, 1952.

Venturi, Lionello, *Cézanne, son art, son œuvre*. Rosenberg, Paris, 1936 (2 vol.).

Vollard, Ambroise, *Souvenirs d'un marchand de tableaux*. Albin Michel, Paris, 1937.

Vollard, Ambroise, *Cézanne*. Vollard, Paris, 1914.

Zola, Émile, *Correspondances. Lettres de Jeunesse*. Charpentier, Paris, 1908.

HISTOIRE DE L'ART

Daulte, François, *le Dessin français de Manet à Cézanne*. La Bibliothèque des Arts, Éd. Spes, Lausanne, 1954.

Dimier, Louis, *Sur l'époque véritable du mot Impressionnisme*. Bulletin de la Société de l'Histoire de l'Art français, 1927.

Dorival, Bernard, *les Etapes de la Peinture française contemporaine*. T.I. Gallimard, Paris, 1943.

Duret, Théodore, *Histoire des peintres impressionnistes*. Floury, Paris, 1939.

Duthuit, Georges, *les Fauves*. Éd. Trois Collines, Genève, 1949.

Elder, Marc, *A Giverny chez Claude Monet*. Bernheim Jeune — Paris, 1924.

En Ecoutant Cézanne, Degas, Renoir. Grasset, Paris, 1938.

Florisoone, Michel, *Van Gogh et les peintres d'Auvers chez le docteur Gachet*. Numéro spécial de l'Amour de l'Art, Paris, 1952.

Focillon, H., *la Peinture aux XIXe et XXe siècles*. Paris, 1928.

Francastel, Pierre, *l'Impressionnisme*. Les Belles Lettres, Paris, 1937.

Geffroy, G., *Claude Monet, sa vie, son œuvre*. Paris, 1924, 2 vol.

Huyghe, René, *Matisse*. Le Grand Art en livre de poche, Flammarion, Paris, 1953.

Huyghe, René, *l'Art et l'Homme*. 3 vol. Larousse, Paris, 1963.

Leymarie, Jean, *la Peinture française. Le XIXe siècle*. Genève, éd. d'Art. Albert Skira Imp. Réunies, Lausanne, 1962.

Leymarie, Jean, *l'Impressionnisme*. 2 vol. Skira, Genève, 1955.

Loeb, Pierre, *Voyage à travers la peinture*. Bordas, Paris, 1945.

Raynal, Maurice, *le XIXe siècle. Formes et couleurs nouvelles, de Goya à Gauguin*. Genève, Paris, New York. A Skira, 1944.

Rewald, John, *Cézanne, sa vie, son œuvre, son amitié pour Zola*. Paris, 1939.

Rewald, John, *Histoire de l'Impressionnisme*. Albin Michel, Paris, 1955.

Rey, Robert, *la Peinture à la fin du XIXe siècle. La Renaissance du sentiment classique*. Les Beaux-Arts, Éd. d'Études et de Documents, Paris, 1931.

Roger Marx, Claude, *le Paysage français de Corot à nos jours*. Éd. d'Histoire et d'Art, Paris, 1952.

Un Siècle d'art français, 1850-1950. Les Presses artistiques, Paris, 1953.

Vaudoyer, J.-L., *les Impressionnistes de Manet à Cézanne*. Paris, 1948.

Venturi, L., *les Archives de l'Impressionnisme*. Paris, New York, 1939. 2 vol.

ÉVÉNEMENTS HISTORIQUES ET CULTURELS

Dausette, Adrien, *Deuxième République et Second Empire*. A. Fayard, Paris, 1942.

Duby, Georges et Robert Mandrou, *Histoire de la civilisation française*. T. I et T. II Nouvelle Éd. remise à jour. A Colin, Paris, 1968.

Guillemin, Henri, *Zola, Légende ou Vérité?* Julliard, Paris, 1960.

Maurois, André, *Histoire de la France*. Éd. Wapler, Paris, 1947.

Miquel, Pierre, *l'Affaire Dreyfus*. Presses Universitaires de France, Paris, 1959.

Pradalié, Georges, *le Second Empire*. 2e édit. Presses Universitaires de France, Paris, 1963.

Zola, Émile, *L'Assommoir*. Hachette, Paris.

Remerciements

L'auteur et les rédacteurs du livre tiennent à remercier, pour l'aide qu'elles leur ont apportée, les personnes suivantes : Mme Hélène Adhémar, conservateur des Musées du Jeu de Paume et de l'Orangerie (Louvre), Paris; Mrs. Alexander Albert; Jean Bazaine; Catherine Bélenger, Service des Relations extérieures du Louvre; Elvira Bier, Phillips Collection; Dominique Paul-Boncourt; Olive Bragazzi; Jean-Pierre Cézanne; Philippe Cézanne; Adrien Chappuis, Aix-les-Bains; Mrs. Marshall Field III; Wendy Goodell, Boston Museum of Fine Arts; Mme Guynet-Péchadre, conservateur, service photographique, Musée du Louvre; James Humphrey III, Mrs. Elizabeth Usher, Patrick Coman, Harriet Cooper, Metropolitan Museum of Art; Erle Loran; Gerstle Mack; David McIntyre, Baltimore Museum of Art; Pearl Moëller, Richard Tooke, Museum of Modern Art; William Morrison, Susan H. Myers, National Gallery of Art; Charles C. Neighbors, Clark-Nelson Ltd.; Mr. et Mrs. John Rewald; David Saltonstall, Gordon Grant, Brooklyn Museum; Pierre Schneider.

Sources des illustrations

On trouvera ci-dessous les sources des illustrations contenues dans cet ouvrage. Les références sont séparées par des points-virgules lorsque les illustrations sont disposées de gauche à droite, et par des tirets lorsqu'elles le sont du haut au bas de la page.

Les illustrations figurant aux pages 169, 180, 182 et 183 ont été publiées en vertu d'un accord intervenu entre l'A.S.D.G.P., et French Reproduction Rights, Inc. Celles des pages 65, 70 (à gauche), 166, 167, 174 (en haut), 176, 178 (en haut), et 181 l'ont été en vertu d'un accord entre la S.P.A.D.E.M. et French Reproduction Rights, Inc.

COUVERTURE : Robert S. Crandall.

PAGES DE GARDE :
Début : Collection Norton Simon, Los Angeles.
Fin : The Courtauld Institute Galleries, Londres.

CHAPITRE 1 : 6 — Avec l'autorisation de Mr. et Mrs. John Rewald. 9 — Photo Bulloz. 10 — Avec l'autorisation de Jean-Pierre Cézanne. 11 — Tiré de *Paul Cézanne*, Gerstle Mack, Alfred A. Knopf, 1936, Planche 28 — avec l'autorisation de Jean-Pierre Cézanne. 16 — Cliché Musées Nationaux (2). 18 — Avec l'autorisation de Adrien Chappuis. 19 — Lee Boltin — avec l'autorisation du Wadsworth Atheneum, Hartford. 21 — Photo Bulloz. 22, 23 — Avec l'autorisation de Jean-Pierre Cézanne; Eddy van der Veen avec l'autorisation de M. Leblond-Emile Zola (3). 24 — Photographie de The Art Institute of Chicago. 25 — Yves Debraine — photographie de la Walker Art Gallery, Liverpool. 26, 27 — Dmitri Kessel; tiré de la collection de Mrs. Enid A. Haupt, New York — The Metropolitan Museum of Art, Wolfe Fund, 1951; tiré de la collection Lizzie P. Bliss, The Museum of Modern Art. 28 — Sabine Weiss (Rapho Guillumette) — Henry Ely, Aix-en-Provence. 29 — Robert S. Crandall. 30, 31 — Scala; Larry Burrows.

CHAPITRE 2 : 32 — Culver Pictures, Inc. 34 — Collection Sirot, Paris. 35 — The Bettmann Archive. 36 — Avec l'autorisation de Madame D. David-Weill — © février 1968 par The Barnes Foundation. 37 — Musée de Montpellier — Cliché Musées Nationaux. 38 — Photographie du Fogg Art Museum. 41 — André-Moulinier, avec l'autorisation des Éditions Tisné — Galerie Bernheim-Jeune, Paris. 45 — The Bettmann Archive. 46, 47 — Culver Pictures, Inc. (5). 48 — Chevojon (4) — Culver Pictures, Inc. 49 — Photographie de la New York Public Library tirée de *La Tour Eiffel*, Jean A. Keim, Éditions « tel », Paris, 1950, Planche 9, 50, 51 — The Bettmann Archive; Bibliothèque Nationale, Paris — Eddy van der Veen avec l'autorisation de M. Leblond-Emile Zola (2). 52 — Culver Pictures Inc. (2). 53 — Culver Pictures, Inc.; *l'Aurore* — Roger Viollet.

CHAPITRE 3 : 54 — Avec l'autorisation de Mr. et Mrs. John Rewald. 56 — Brown Brothers. 58 — The Bettmann Archive — Culver Pictures, Inc. 59 — Roger Viollet — avec l'autorisation de Jean-Pierre Cézanne. 60 — Kindler Verlag, GmbH, Munich. 61 — Lee Boltin (2). 65 — Lee Boltin. 66, 67 — Erich Schaal (2). 68 — Avec l'autorisation de Mr. et Mrs. John Rewald — Erich Schaal. 69 — Archives Photographiques — N.R. Farbman. 70 — Photographie du Fogg Art Museum; Alan Clifton. 71 — Eddy van der Veen.

CHAPITRE 4 : 72 — Yves Debraine. 74 — Cartes par Rafael Palacios. 78 — Photographie d'Erle Loran tirée de *Cézanne's Composition*, University of California Press, 1963, pages 66, 68. 79 — © février 1968 par The Barnes Foundation. 80 — Giraudon — Kunstmuseum, Bâle. 83 — Cliché Musées Nationaux. 85 — Eric Schaal. 86, 87 — Eric Schaal; Henry B. Beville. 88, 89 — Photographie Solomon R. Guggenheim Museum (2) — Photographie de The Art Institute of Chicago. 90, 91 — Robert S. Crandall.

CHAPITRE 5 : 92 — Photographie Robert S. Crandall (peinture faisant partie de la collection du Museum of Modern Art de New York, donation anonyme, le donateur conservant un droit sur l'œuvre jusqu'à sa mort). 94 — Photographie de The Art Institute of Chicago (2). 99 — Bibliothèque Nationale, Paris. 103 — Boymans-van Beuningen, Rotterdam. 104 — Photographie de The Art Institute of Chicago. 105 — Photographie du Boston Museum of Fine Arts; Yves Debraine — Robert S. Crandall; photographie de The Art Institute of Chicago. 106 — Scala; Derek Bayes — Eric Schaal; Heinz Zinram. 107 — Henry B. Beville. 108 — Frank Lerner. 109 — Alan Clifton. 110, 111 — Robert S. Crandall; Courtauld Institute Galleries, Londres. 112 — Photographie © Museum of Modern Art, New York. 113 — Eric Schaal — photographie de The Art Institute of Chicago. 114, 115 — Photographie du Philadelphia Museum of Art par A.J. Wyatt.

CHAPITRE 6 : 116 — Eric Schaal. 118 — John R. Freeman avec l'autorisation de sir Kenneth Clark — avec l'autorisation de Jean-Pierre Cézanne. 119 — Tiré de *Paul Cézanne*, Gerstle Mack, Alfred A. Knopf, 1936, Planche 15. 120 — Pas de source. 125 — Cliché Éditions Robert Laffont, Paris. 129, 130 — Ken Kay. 131 — Kuntsmuseum, Bâle — photographie de The Art Institute of Chicago. 132 — Avec l'autorisation de Borden Publishing Co., Los Angeles, photographie du Brooklyn Museum of Art. 133 — Derek Bayes. 134 — Photographie du Philadelphia Museum of Art; Heinz Zinram — photographie de la National Gallery of Art, Washington D.C.; photographie du Metropolitan Museum of Art — Eric Schaal. 135 — J.R. Eyerman Eric Schaal — Eric Schaal (2) — photographie de Clark, Nelson Ltd.; photographie de la National Gallery of Art, Washington D.C. 136, 137 — Eric Schaal. 138, 139 — Eric Schaal.

CHAPITRE 7 : 140 — Photographie de la National Gallery of Art, Washington, D.C. 144 — Giraudon — Kuntsmuseum, Bâle. 146 — Walter Drayer, Zurich. 147 — John R. Freeman avec l'autorisation de sir Kenneth Clark — photographie © Museum of Modern Art. 149 — Eddy van der Veen. 150 — Tiré de la collection de Mrs. Enid A. Haupt, New York — photographie du Cleveland Museum of Art. 151 — Photographie de la National Gallery of Art, Washington, D.C. — Yves Debraine. 152, 153 — Robert S. Crandall — The Burrell Collection, Glasgow Art Gallery and Museum; Courtauld Institute Galleries, Londres. 154 — Robert S. Crandall. 155 — Frank Lerner. 156, 157 — Yves Debraine. 158, 159 — Henry B. Beville.

CHAPITRE 8 : 160 — Eric Schaal. 163 — Frank Lerner. 166 — Cliché Musées Nationaux. 167 — Roger Viollet. 169 — Photographie de la Yale University. 171 — Mlle Thérèse Bonney (Wide World). 173 — Collection Sirot. 174 — Charles Phillips — Kindler Verlag, GmbH, Munich. 175 — Mlle Thérèse Bonney. 176 — Giraudon. 177 — Photographie de The Art Institute of Chicago. 178 — Photographie © Museum of Modern Art, New York — Eric Schaal. 179 — Photographie *Editions Ides et Calendes*, Neuchâtel, Suisse. 180 — Heinz Zinram. 181 — Pierre Boulat; Eric Schaal. 182 — Eric Schaal. 183 — Robert S. Crandall. 184 — Photographie de la National Gallery of Art, Washington, D.C. — photographie de Clark, Nelson Ltd. 185 — Larry Burrows.

Index

Sauf indication contraire, toutes les œuvres d'art énumérées sont de Cézanne. Les dimensions sont exprimées en centimètres, la hauteur précédant la largeur. Les chiffres entre parenthèses sont les références du catalogue de Lionello Venturi intitulé Cézanne, Son art — Son œuvre.

Index (suite)

XXXXX

Printed in Spain by Printer industria gráfica sa   Provenza, 388   Barcelona   Depósito legal B. 10372-1978